사막의 수도자

https://saetae.marketing

전자공학을 전공하고 소프트웨어 개발을 하였습니다.
정부기관에서 문화홍보 기획과 행정 업무의 경험이 있습니다.
경영지도사, 행정사, 데이터분석전문가등 국가자격증 12 개를
보유하고 있는 자격증 부자입니다. 최근에는 빅데이터 기술을
기반으로 하는 마케팅에 대해 읽고 씁니다. 단순함, 배움,
자기절제에 가치를 추구합니다.

도서명 | 소기업 이익은 마케팅 능력에 달렸다

발 행 | 2023 년 6 월 28 일

저 자 | 사막의 수도자

펴낸이 | 한건희

펴낸곳 | 주식회사 부크크

출판사등록 | 2014.07.15(제 2014-16 호)

주 소 | 서울 금천구 가산디지털 1 로 119, A 동 305 호

전 화 | 1670 - 8316

이메일 | info@bookk.co.kr

ISBN | 979-11-410-3353-8

본 책은 브런치 POD 출판물입니다.

https://brunch.co.kr

www.bookk.co.kr

소기업 이익은 마케팅 능력에 달렸다

사막의 수도자 지음

CONTENT

책 소개

사람들은 대게 <영업은 파는 것이고, 마케팅은 홍보나 광고 같은 거다.>라고 생각합니다. 모든 사업은 팔아야 하기 때문에 영업의 필요성은 쉽게 이해하지만, 마케팅은 자신과 관련이 없다고 생각하는 사업주도 있습니다. 마케팅은 애매모호한 개념이 아닙니다. 소기업이 극적으로 이익을 개선하는 방법은 마케팅 능력에 달려 있습니다.

이 책의 1 부는 사업주가 반드시 알아야 할 마케팅 전략(STP 전략, 브랜딩, 고객 전략)을 제시합니다. 2 부는 소기업이 당장 따라할 수 있는 마케팅 모델을 소개합니다. 고객을 발굴하고, 육성하고, 고객의 구매결정 이끌어내는 마케팅의 전 과정을 담고 있습니다. 당신의 사업에 맞게 모델을 소소하게 수정하여 사용할 수 있을 것입니다.

1 부

마케팅 전략

시장이 있다면
마케팅이 필요하다.

누구나 마케팅 하는 시대입니다. 인플루언서 마케팅, 디지털 마케팅, 콘텐츠 마케팅, 퍼포먼스 마케팅, 감성 마케팅, 이메일 마케팅. 모든 것이 마케팅입니다. 최근에는 고수익을 보장한다면서 다단계 기법으로 사람들을 현혹시키는데도 마케팅이란 말이 사용되는 것을 보았습니다. 마케팅이란 단어가 지나치게 사용되고 있고 그 범위가 모호함은 마케팅에 대한 부정적인 인식을 만들고 있습니다.

마케팅이란?

마케팅(marketing)은 시장(market)에 대해 이해하고 적응하는 과정입니다. 그렇다면 시장은 무엇일까요? 시장은 판매자와 구매자의 거래가 일어나는 곳을 말합니다. 시장이 반드시 영리 목적이고 돈이 오가야 하는 경우만 말하는 것은 아닙니다. 비영리기관도 마케팅을 합니다. 시장을 단순화시키면 다음 그림과 같습니다.

시장은 판매자 중심의 시장과 구매자 중심의 시장이 있습니다.

판매자 중심의 시장:- 판매자가 제품을 갖고 있고 구매자들은 필요한 제품을 얻기 위해 판매자를 찾아가야만 합니다. 이 경우 판매자에게 결정할 수 있는 힘이 있습니다.

구매자 중심의 시장:- 제품을 제공하는 판매자들이 많아서 팔려면 판매자가 구매자를 찾아가야 합니다. 이 경우는 구매자에게 결정할 수 있는 힘이 있습니다.

마케팅은 시장이 존재하고 가치를 교환하는 거래가 일어날 때 필요합니다. 판매자와 구매자 중 누가 힘을 더 많이 갖는지에 따라 마케팅 방법이 다릅니다.

제품 중심 마케팅:- 구매자들은 제품이 반드시 필요해서 사야 하고(예:- 식료품, 석유) 판매자가 여럿이라면 제품 중심의 시장입니다. 판매자는 구매자의 선택을 받기 위해 최선을 다해 품질을

높이고 원가를 낮추고 혁신을 해야 합니다. 이것이 제품 중심 마케팅입니다.

제품 중심 회사는 대량으로 생산하는 노력을 기울여야 합니다. 대량으로 생산하면 가격이 내려가고 시장 점유율을 올릴 수 있습니다. 시장점유율이 커질수록 매출은 높아지고 가격은 더 내려가는 선순환이 일어납니다. 이것이 제품 중심 회사들의 목표입니다. 제품 중심 마케팅은 새로운 제품을 만들거나 새로운 시장을 개척하기 위해 노력합니다.

고객과 경쟁자 중심 마케팅:- 고객 중심 마케팅은 구매자가 원하는 것을 얻기 위해 판매자에게 찾아오도록 만드는 노력입니다. 어떻게 고객이 경쟁자가 아닌 나를 선택하도록 할까요? 가장 좋은 방법은 고객이 원하는 것을 조사하고 고객의 욕구에 부합하는 제품(또는 서비스)을 전달하는 것입니다.

고객과 경쟁자 중심 마케팅은 제품 중심 마케팅의 반대일까요? 정확히 그렇치는 않습니다. 제품과 고객 이외에도 마케팅하는 다른 접근 방법들이 있습니다. 과거에는 상품이 적었기 때문에 시장은 판매자와 제품 중심 마케팅을 하였습니다. 그러나 대량생산이 가능해지면서 물자는 풍족하고 경쟁자가 많아졌기 때문에, 현재는 구매자 중심의 시장이 더 많습니다.

현대 마케팅:- 고객 중심 철학을 토대로 하는 STP 전략(Segmentation, Targeting, Positioning)과 4P 전략(Product, Promotion, Place, Price)이 현대 마케팅입니다.

규모에 상관없이 모든 회사의 공통된 목표는 생존과 성장입니다. 경쟁에서 살아 남고 번영하기 위해서는 전략이 필요합니다. 고객 중심 마케팅은 고객의 욕구를 만족시키고 그 댓가로 이익을 얻고자 노력하는 전략적 행동들입니다.

이 책 1 부에서는 소규모 사업주가 꼭 알아야 할 핵심 마케팅 전략을, 2 부에서는 고객을 창출하는 마케팅 모델을 정리하였습니다.

1. STP 전략

STP(Segmentation, Targeting, and Positioning)는
3 단계 마케팅 프레임워크입니다. 시장을 세분화하고,
표적 시장을 선정하고, 표적 시장에 무엇을 제공할 수
있을지 당신을 포지셔닝합니다.

STP 전략에 관하여

현대 마케팅은 STP 전략이 핵심입니다. 한정된
자원으로 고객 만족을 높이고 이익을 극대화하는
선택과 집중의 과정입니다.

1) 시장 세분화(segmentation): 특성이 가장 유사한
소비자들끼리 같은 군집으로 묶고, 군집 간에는
특성이 최대한 다르도록 몇 개의 군집을 찾아내고,
2) 표적 시장(targeting): 당신이 가장 성공적으로
공략할 수 있는 하나 또는 두 개의 군집을 선택하고,
3) 포지셔닝(positioning): 타깃 고객에게 이익이
되는 가치를 찾아내고 그 가치를 고객의 마음속에
인식시키기 위한 노력한다.

시장 세분화

사업을 할 때 가장 먼저 해야 하는 일은 고객을 정의하는 일입니다. 누구의 필요와 욕구를 충족 시킬까? 그 사람은 어떤 매체를 사용할까? 그 사람은 어떤 라이프스타일을 원할까? 그 사람이 직업적 성취를 위해 필요한 것은 무엇일까? 그 사람은 삶에서 무엇을 바꾸고 싶어 할까? 이와 같은 질문으로 고객을 선명하게 그려볼 수 있어야 합니다. 사람들은 욕구와 필요가 모두 제각각이고, 상황에 따라 구매기준은 달라집니다. 따라서 하나의 제품으로 모든 사람을 만족시키는 것은 불가능합니다. 고객을 만족시키는 가장 좋은 방법은 개인화 하는 것입니다. 고객마다 원하는 것을 맞춤형으로 만들고, 차별화된 서비스를 제공하는 방법입니다. 그러나 모든 고객 별로 개인화를 한다면 너무 많은 시간과 돈이 들어가기 때문에 현실적으로 불가능합니다. 한 사람이 아니라 최대한 비슷한 사람들의 군집(집단)을 선택하여 고객군으로 정의하면 개인화 가능성이 올라갑니다.

시장세분화

시장세분화는 특성이 비슷한 사람들끼리 군집으로 묶는 과정입니다. 특성이 최대한 유사한 사람들끼리 같은 군집으로 묶고, 군집 간에는 특성이 최대한 다르게 만들어야 합니다. 특성의 유사도에 따라 분류된 여러 개의 군집 중 당신이 가장 성공적으로 욕구를 충족시킬 수 있는 군집을 표적 고객으로 정합니다. 돈과 시간이 충분한 대기업이라면 모든 군집 별로 다른 상품과 서비스를 만들어 제공할 수 있습니다. 그러나 자원이 부족한 중소기업은 한 두 개의 군집을 선택하여 집중공략 해야 합니다.

세분화된 고객은 다음과 같은 경영 의사결정에 기준이 됩니다.

· 새로운 제품이나 서비스를 기획할 때
· 마케팅 메시지를 만들 때 (광고, 홍보, 영업 등)
· 메시지를 전달할 매체를 결정할 때 (TV, 인터넷, 라디오 등)
· 마케팅 수단을 결정할 때 (이메일 마케팅, 인플루언서 마케팅, SNS 마케팅, 옥외간판 등)

같은 군집으로 분류된 소비자들은 마케팅 자극을 주었을 때 같은 반응을 보여야 하고 다른 군집과는 차이가 있어야 올바르게 세분화된 것입니다.

시장 세분화 예시

소주 회사는 고객을 몇 개의 군집으로 나누고 각 군집별 다른 제품으로 공략하고 있습니다. 1997 년 소주의 알코올 도수는 25 도였습니다. 2007 년에는 21 도까지 낮아졌고 2014 년에는 16 도까지 낮아졌습니다. 소주회사는 고객들의 변화하는 선호도를 충족시키기 위해 소주를 부드럽게 변화시켰습니다. 그러나 최근에는 25 도 소주를 부활시켜 성공적인 마케팅 이라는 평가를 받았습니다. 일부 소비자들은 도수가 높은 소주를 선호하기 때문입니다.

주류 산업 전체로 보면 맥주, 소주, 막걸리 큰 세분화가 되어 있습니다. 중소기업은 수제맥주나 와인과 같은 틈새시장의 욕구를 성공적으로 충족시키고 있습니다.

시장 세분화 방법 두 가지

시장 세분화 실행하기는 두 가지가 있습니다.
· 페르소나 만들기:- 여러 고객을 대표할 수 있는 구체적인 성격과 행동을 가진 하나의 인격을 만듭니다.
· 군집 분석:- 소비자의 특성을 프로그램 이용하여 통계적 기법으로 세분화하는 방법입니다.

고객 페르소나를 만들려면 시장 전문가가 필요합니다. 고객을 눈에 생생하게 떠올릴 수 있도록 페르소나를 만들고, 사업주는 그 특성을 기반으로 경영 결정을 내립니다. 분석은 프로그램을 이용하기 때문에 빠르고 쉽게 세분화할 수 있습니다. 군집 분석을 하는 경우에도 그 특성을 종합하여 페르소나를 만드는 것이 좋습니다.

시장세분화 기준 네 가지

고객의 특성을 나는 기준은 네 가지입니다.

1) 인구통계적 기준

인구통계적 기준은 나이, 성별, 직업, 소득, 가족 수, 결혼 여부, 교육 수준을 말합니다. 객관적이고 비교적 데이터를 수집하기 쉽습니다. 따라서 세분화를 할 때 가장 기본이 되는 기준입니다. 그러나 나이, 성별, 직업이 같은 사람이라고 하더라도 욕구와 소비 패턴은 완전히 다른 경우가 많습니다.

2) 지리적 기준

지리적 기준은 국가, 지방, 도시에 따라 소비자들을 분류하는 것입니다. 지리에 따라 기후환경이나 생활패턴에 차이가 있는 경우에 유용한 기준이 됩니다. 자사에 유리하거나 접근이 쉬운 지역을 선택할 수도 있고 전 지역을 대상으로 사업을 할 수도 있습니다.

3) 심리 도식적 기준

심리 도식적 기준은 성격, 가치관, 라이프스타일등을 말합니다. 성격이나 가치관의 차이에 따라 사람들을 분류할 수 있고 사람들이 동경하는 라이프스타일을 이용하여 제품 구매를 어필하는 방식입니다.

4) 행동적 기준

행동적 기준은 구매상황, 사용 상황, 제품을 사용 중이거나 사용해 본 경험, 제품에 대한 충성도, 구매자의 상태를 말합니다. 고객을 이해하기 위해 설문조사를 하지만 그 결과는 효과적이 못할 때가 많습니다. 이유는 사람들은 자기 스스로 옳다고 생각하거나 그럴 것이라고 말하는 것과 실제 행동이 다를 때가 많기 때문입니다. 행동은 실제 구매 패턴이기 때문에 고객을 더 잘 이해하고 예측할 수 있습니다. 그러나 행동은 관찰이 어려운 것이 단점입니다. 디지털 제품과 온라인에서는 소비자의 행동을 추적할 수 있습니다. 기존 고객들의 거래 내역을 상세히 기록하면 시장 세분화를 위한 고품질 데이터가 됩니다.

요약

STP 전략의 첫 단계인 시장세분화에 대해 알아 보았습니다. 시장세분화는 특성이 비슷한 사람들끼리 군집화 하고, 가장 잘 공략할 수 있는 군집을 선정하여

마케팅 노력을 집중하는 전략입니다. 세분화는
프로그램을 이용한 군집분석과 전문가에 의한
페르소나 만들기가 있습니다. 세분화 기준은
인구통계적, 지리적, 심리 도식적, 행동적 기준이
있습니다.

표적 시장

평균인은 없다.

1940 년 미 공군은 조종사의 잦은 추락사고로 고민하고 있었습니다. 미 공군은 병사 4,063 명의 몸 치수를 자세하게 측정하여 평균값을 찾았습니다. 이를 토대로 조종사에게 '딱 맞는' 사이즈의 조종석을 설계하려고 했습니다. 그러나 평균의 키, 몸무게, 팔 길이 등 10 가지 항목에 모두 맞는 평균적인 병사는 단 한 명도 없었습니다. 미 공군은 평균값을 이용한 조종석 설계를 취소했습니다. 평균값을 토대로 조종석을 만들었다면 모든 조종사에게 적어도 어느 하나는 크기가 맞지 않는 조종석이 만들어졌을 겁니다.

누구에게나 딱 맞는 물건을 만들려고 하면 아무한테도 맞지 않는 물건이 되는 모순이 발생합니다. 미 공군은 대안으로 조종석의 좌석 위치와 조종간의 높이 등을 자신에게 맞게 바꿀 수 있도록 하는 아이디어를 냈습니다. 이것은 현대 자동차의 필수 사양입니다. 조종석을 자신에게 맞도록 조절할 수 있도록 설계한 후, 미 공군의 사고는 큰 폭으로 줄어들었습니다.

평균이 되지 마라.

사람들은 따뜻하거나 차가운 차를 원합니다. 적당히 미지근한 차는 누구도 만족시킬 수 없습니다. 시장 세분화를 해야 하는 이유는 평균적인 가치를 제공하면서 아무도 만족시키지 못하는 상황을 피하기 위해서 입니다. 시장 세분화를 하면 고객들의 차이점을 알아내고 마케팅 노력을 기울일 고객을 선택할 수 있습니다.

표적 시장은 시장 세분화로 찾아낸 몇 개의 군집(또는 시장) 중 집중적으로 공략할 군집을 선택하는 과정입니다. 군집은 특성이 비슷한 사람들로 구성되었기 때문에 그 특성별로 맞춤형 제품과 서비스를 제공함으로써 고객 만족도를 높이고, 회사는 더 높은 가격을 부과할 수 있습니다.

고객은 각자 중요하게 생각하는 속성이 다르며, 중요하다고 생각하는 속성 중에서 최고를 선택합니다. 가격을 중요시하는 고객이라면 중간 정도의 가격이 아니라 가장 저렴한 제품을 선택합니다. 편의성을 선호하는 고객이라면 인터넷으로 한 번에 사고 배달되는 제품을 선택합니다. 최고의 성능과 품질을 원하는 고객은 설령 가격이 평균보다 두 배가 넘더라도 최고의 제품을 선택합니다.

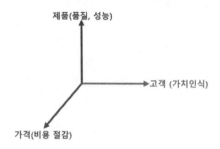

제품(품질, 성능)

고객 (가치인식)

가격(비용 절감)

한 가지 속성을 선택하여 최고가 되어야 합니다. 시장에서 가장 저렴하던가, 가장 품질이 좋던가, 고객의 마음에 딱 드는 것을 만들어야 합니다.

요약

세계는 개성으로 넘칩니다. 평균적인 사람은 현실에서 존재하지 않습니다. 평균적인 제품을 만들어서 모든 사람을 고객으로 만든다는 아이디어는 환상입니다. 표적 시장은 시장 세분화로 발견된 몇 개의 군집 중에서 가장 잘 공략할 수 있는 군집을 선택하는 과정입니다. 미지근한 차는 매력이 없습니다. 고객을 선택하고 그 고객이 원하는 것을 최고로 전달할 수 있어야 합니다.

포지셔닝

포지셔닝은 미국의 마케팅 전문가 잭 트라우트가 도입한 개념입니다.

> 포지셔닝은 당신 자신을, 당신 회사를, 당신 제품이나 서비스를 모든 사람과 모든 것으로부터 차별화시키는 과정이다.

포지셔닝은 정치인, 사업, 제품, 브랜드, 대기업, 정부 모든 객체에서 실행하고 있습니다. 포지셔닝의 예입니다.

- 게토레이:- 스포츠활동을 할 때 빠른 갈증제거와 에너지를 제공하는 기능성 음료
- 맥도널드:- 저렴하고 신속하고 청결한 식사를 할 수 있는 레스토랑
- 페이스북:- 사람들에게 공유할 수 있는 힘을 주고, 세계를 더 개방하고 연결하기
- 애플:- 혁신적인 하드웨어, 소프트웨어, 서비스로 고객에게 최고 경험 전달
- 삼성전자:- 자유롭게 남다르게, Do what you can't, 가전을 나답게
- 대한민국 문화체육관광부:- 국민과 함께하는 세계일류 문화매력국가

모든 브랜드는 고객에게 이익이 되는 가치를 찾아 내고 그 가치를 고객의 마음속에 인식시키기 위한 노력을 하고 있습니다. 가치제안은 이런 핵심가치를 고객의 관점에서 몇 개의 단어로 표현한 문구를 말합니다.

포지셔닝의 중요성 (테슬라 사례)

테슬라는 전기차로 기존의 자동차와 차별화하고 있습니다. 가치제안은 '세계적인 전기차 전환을 주도하여 21세기 가장 매력적인 자동차 회사를 만든다.'입니다. 테슬라는 기술에 적극 호응하는 소비자와 친환경 소비자(정부포함)를 성공적으로 공략하였습니다. 테슬라는 '자율주행' 기능으로 차별화를 원하지만 기술 미비와 과대광고 문제로 가치제안에 직접 포함시키지 않고 있는 것으로 보입니다. 많은 사람들은 테슬라를 '1등 기업'으로 인식하고 있습니다. 사람들이 인식하는 테슬라의 가치는 주가에 반영되어 자동차회사 중 시가총액이 가장 큽니다.(2022. 3. 기준) 2022년 전 세계 자동차 회사 중 테슬라는 매출 순으로 10위에 들지 못합니다. 미국에서 차량 판매순으로는 11위입니다. 그런데 왜 사람들은 테슬라를 1등으로 인식할까요? 테슬라의 높은 기업 가치 평가는 포지셔닝 전략으로 해석할 수 있습니다. 자동차의 기본적인 가치는 운송수단입니다. 대부분의 사람은 기본적으로 사람과 물건을 이동시키기 위해 자동차를 삽니다. 이동수단의 범주에서는 모든 자동차가 테슬라의 대체품이 될 수 있습니다. 그러나 테슬라는 전기차와 내연차를 완전히 다른것으로 분리하였습니다. 테슬라는 이동수단 이상의 제품을 만드는것으로 포지셔닝 하였습니다. 테슬라는 전기차 분야 1등이 되었습니다. 사람들에게 특정 분야에 1등 브랜드를 물어보면 대부분 올바르게 대답합니다. 그러나 2등을 물어보면 올바른 정답을 알지 못한 경우가 많습니다. 사람들은 필요할 때 1등을 잘 기억합니다. 브랜드가 1등으로 인식되면 강력한 브랜드 자산이 됩니다. 기존의 자동차 회사들이 전기차 생산에 뛰어들며 경쟁이 치열해졌습니다. 고객들의 인식이 변화하면 테슬라는 전기차 이외에 새로운 가치를 찾아 포지셔닝 할 것입니다. 이와같이 차별성이 확실한 가치제안으로 포지셔닝 하는 일은 마케터에게 매우 중요한 과업입니다.

포지셔닝: 고객의 마음속 차별적인 인식을 설계하는 과정

포지셔닝은 표적 시장, 차별점, 동등점을 이용하여 가치제안을 합니다.

차별점(Point of Difference:PoD)은 고객이 특정 브랜드를 인식하는 긍정적인 속성(Attribute)이나 편익(Benefit)을 말합니다. 차별점에 대해 고민하다

보면 언제나 비교대상이 있어야 함을 알 수 있습니다. 강한 브랜드는 표적 시장 고객에게 경쟁자와 '다르다'라는 인식이 있습니다. 예를 들어 크레스트(Crest)는 최초로 불소를 함유한 치약을 개발하였습니다. 불소는 충치를 예방하는데 매우 효과가 있습니다. 크레스트는 1960년대 불소함유를 광고하여 큰 성공을 거두었습니다. 그러나 곧 모든 경쟁자들이 불소를 함유한 치약을 만들었습니다. 어느새 불소를 함유하고 있지 않으면 치약이 아니게 되었습니다. 현재의 치약 시장은 더욱 세분화되어 '시린 이', '어린이 전용', '치아 미백'등의 차별적 가치제안을 하고 있습니다.

동등점(Point of Parity:PoP)은 특정 브랜드가 속하는 범주의 경쟁제품들이 공통으로 가지고 있는 속성이나 편익을 말합니다. 예를 들어 잇몸 질환에 좋은 치약으로 차별화되었더었더라도, 그 치약은 당연히 충치예방이 되어야 합니다. 최고 성능의 카메라를 장착한 것이 차별점인 스마트폰을 사려는 사람은 당연히 전화로 통신하고 동영상을 볼 수 있을 거라고 생각합니다. 차별점을 전달할 때 고객은 동등점으로 저항합니다. 차별점을 강조하면 고객들은 그 차별점 이외의 속성이나 편익은 다른 브랜드보다 떨어질 것이라고 추론할 가능성이 높습니다. 예를 들어 햄버거 브랜드가 '먹어도 살 안 찌는 칼로리 낮은 햄버거'라고 광고한다면 소비자들은 '건강할지는 몰라도 맛은 없을거다.'라고 추론합니다. 마케터는 차별점을 전달하며 동시에 다른 속성들은 최소한 경쟁자와 비슷하다는 동등점을 인식시켜야 합니다. 신생 브랜드이거나 중소기업일수록 차별점 보다 동등점을 인식시키기가 더 어려운 과업이 될 수 있습니다.

포지셔닝은 간결하고 명확하고 핵심 이익에 집중해야 합니다. 포지셔닝은 제품이나 서비스를 판매할 때 독특한 가치제안이기도 합니다. 가치제안은 다른 사람들이 쉽게 모방할 수 없어야 합니다. 만약 경쟁자들 사이에서 특정한 위치를 잡지 못했다면 선택해야 합니다. 집중해야 합니다. 모든 사람을 만족시키려고 하면 모두에게 어중간한 평균이 되고 맙니다. 한 가지 속성, 한 분야, 한 고객군을 선택하여 최고를 전달해야 합니다.

포지셔닝을 설계했다면 마케팅믹스(4Ps) 노력이 포지셔닝 전략을 뒷받침해야 합니다. 포지셔닝은 실제 행동이 필요합니다. 포지셔닝을 실제 전달할 수 있도록 제품, 가격, 촉진, 유통을 수행합니다.

포지셔닝 맵

포지셔닝 맵(positioning map)은 어떤 대상이 고객의 마음 속에서 차지하는 상대적인 위치(position)를

나타내는 그림입니다. 포지셔닝 맵을 이용하여 어떤
제품이나 브랜드가 경쟁자들과 얼마나 비슷하거나
다르다고 인식되는지 알 수 있습니다. 고객설문
조사를 바탕으로 시각화하는 통계기법입니다. 제품
이나 브랜드에 대해 고객들이 어떤 믿음을 갖고
무엇을 선호하는지 공간에 표시하여 직관적으로 알
수 있습니다.

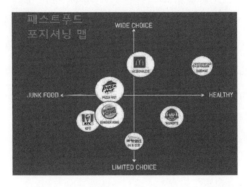

그림은 미국 소비자를 대상으로 조사하여 만든
패스트푸드 포지셔닝 맵입니다. 가로축은 오른쪽으로
갈수록 건강하고, 세로축은 위로 갈수록 메뉴가
다양함을 나타냅니다. 고객들은 서브웨이(subway)를
가장 건강하고, 케이에프씨(KFC)를 가장 덜 건강
하다고 인식하고 있습니다. 메뉴는 맥도널드가 가장
다양합니다. 이 맵에서 가까이 붙어 있을수록
고객들은 비슷하다고 인식하기 때문에 그만큼 경쟁이
심합니다. 웬디즈(Wendy's)와 서브웨이는 멀리

떨어져 있기 때문에 차별성이 있으며 바람직하게 포지셔닝 되었다고 볼 수 있습니다.

포지셔닝 맵은 고객의 인식이기 때문에 핵심적인 경쟁자를 빼고 조사하면 거리가 달라집니다. 이 예에서는 고객이 가장 중요하게 생각하는 속성으로 건강과 메뉴의 다양성만 보고 있습니다. 가격, 친절도와 같은 속성을 중심으로 조사하면 결과가 달라질 수 있습니다. 새로운 브랜드로 시장에 진입하고자 하는 경우 포지셔닝 맵을 활용하여 빈 공간으로 위치시키는 것이 경쟁을 피하는 차별화 방법입니다.

요약

현대 마케팅의 핵심전략은 STP 이며 3 단계로 이루어집니다. 1) 기업이 소비자의 니즈를 조사하여 비슷한 고객들끼리 묶는 시장세분화를 하고, 2) 그중 가장 잘 공략할 수 있는 표적 시장을 결정하고, 3) 표적 시장에 차별성을 찾아 가치제안을 하는 포지셔닝을 합니다. 포지셔닝은 표적 시장, 차별점, 동등점을 중심으로 설계합니다. 제품이 표적 시장의 니즈를 충족할 수 있는 위치로 제품, 가격, 촉진, 유통 전략을 만듭니다. 포지셔닝 맵은 통계적 기법으로 고객의 인식을 나타내는 그림입니다.

2. 브랜드

브랜드(brand)는 당신 사업의 정체성을 나타냅니다.
브랜딩은 사람들이 당신을 알아볼 수 있게 하고,
신뢰를 쌓는 수단이고, 광고효과를 높이고,
고객충성도를 창조합니다.

브랜드의 필요성

브랜드를 빼고 마케팅을 말할 수 없을 만큼
마케터에게 브랜딩은 핵심 과업입니다. 일반적으로
브랜드란 <제조업자 또는 판매업자가 자기의 제품
또는 서비스에 정체성을 부여하고, 경쟁업자의
제품이나 서비스와 차별화하여 고객들에 의해
구별되게 하려는 목적으로 사용하는 이름, 용어, 숫자,
심볼, 캐릭터, 슬로건, 디자인, 패키지 또는 이들의
결합체>를 말합니다. 예로 나이키의 브랜드는 스우쉬
로고와 Just do it 이라는 슬로건으로 이루어져
있습니다.

나이키 브랜드 로고와 슬로건

이름과 로고가 브랜드의 전부는 아니다.

법률가에게 브랜드가 무엇이냐고 물어본다면 지적 재산권이라고 할 것입니다. 법률가는 상표권(trade mark)을 등록하는 일을 도와주고 법으로 브랜드를 보호받을 수 있게 합니다. 그러나 마케터에게 브랜드는 상표권 보다 훨씬 큰 개념입니다. 저명한 마케터인 세스 고딘은 <브랜드는 약속이다.>라고 말합니다. 기업은 고객에게 특정 이익을 줄 것이라는 약속을 브랜드로 전달합니다. 고객은 그 브랜드를 보면 특정한 기대를 합니다. 예컨대 소비자가 신발 가게에서 나이키 로고가 붙은 신발을 보면 다른 신발보다 우수한 기능을 가졌을 것이라고 기대할 수 있습니다.

마케터로서, 브랜드란 <고객이 그것은 무엇이다.>라고 갖고 있는 인식이라고 할 수 있습니다. 브랜드는 이름과 로고가 있어야 하지만 그것만으로는 사업주에게 아무런 이익이 없습니다. 가치 있는 브랜드는 많은 사람들이 알고 있어야 합니다. 고객은 다른 고객과 가치 있는 브랜드에 대해 서로 이야기합니다.

기업에서 매우 강한 메시지를 전달하고 사람들이 그렇게 인식하고 있다면 강한 브랜드입니다.

<삼성전자>란 말을 들으면 무엇이 떠오르나요? 애플, 나이키, 맥도널드, 코카콜라 이런 말을 들으면 사람들은 특정한 이미지를 떠올립니다. 대게 긍정적인 이미지입니다. 반면에 <대가전자>라는 말을 들으면 어떤 이미지가 떠오르나요? 사람들이 브랜드를 듣거나 보았을 때 즉각적으로 어떤 이미지를 떠올리지 못한다면 강한 브랜드가 아닙니다. 브랜드 구축은 고객의 머릿속에 인식을 설계하는 일입니다.

브랜드 구축의 이점

경쟁이 심화되면서 대부분의 제품이나 서비스는 품질의 차이가 줄어들고 있습니다. 기업들은 기능과 품질만으로는 경쟁자와 차별화하기 어렵습니다. 브랜드를 만들면 가격경쟁을 피하고 높은 이익을 유지할 수 있습니다.

강한 브랜드를 만드는데 성공했다면, 고객은 그 브랜드를 볼 때 선호도가 올라갑니다. 기업의 관점에서 보면 브랜드가 없을 때 보다 브랜드가 있을 때 매출과 이익이 증대됩니다.

나이키의 브랜드는 어떤 효과가 있을까요? 스포츠 활동을 자주 하는 고객은 나이키를 보면 다른 브랜드보다 더 사고 싶어 집니다. 나이키의 로고인 스우쉬를 보면 최고의 스포츠 선수들이 떠오릅니다. 품질이 더 좋고 기능이 좋을 것이라고 추측합니다. 구매하면 다른 것보다 더 만족스러울 것입니다. 조금 더 비싸도 나이키 로고가 붙은 신발을 사고 싶어합니다.

브랜드 메시지를 증명하라.

기업은 브랜드로 고객에게 자신은 경쟁자와 다르다는 메시지를 전달합니다. 다음은 나이키가 전달하는 브랜드 메시지입니다.

<혁신적인 기술, 고품질, 스포츠의 즐거움, 최고의 운동능력, 자기 권한강화(self-empowerment)>

한번 정한 브랜드 메시지는 거의 변하지 않습니다. 다양한 매체를 통해 광고, 홍보, 이벤트의 방식으로 고객에게 일관성 있는 메시지를 전달합니다.

나이키는 자기가 하는 말이 진실하다고 고객에게 증명하기 위해 노력합니다. 나이키의 모든 마케팅 활동은 브랜드를 뒷받침합니다. 제품을 기획하고, 디자인하고, 최고 스포츠 선수를 모델로 선정하고, 광고와 홍보를 하고, 유통채널을 선택하고, 가격을 결정하고, 고객응대까지 일련의 과정이 브랜드 메시지와 일관성을 이루도록합니다.

모르는 브랜드는 사지 않는다.

고객이 특정 브랜드에 대해 긍정적인 인식을 가지고 있다면 선호도가 올라갑니다. 강한 브랜드는 고객의 선택을 쉽게 만듭니다. 기업은 브랜드를 구축함으로써 경쟁자와 차별화 되고 이익을 높일 수 있습니다.

브랜드 정체성

온라인에서 가장 흔하게 공유되는 콘텐츠가 심리 테스트와 성격 분류입니다. 나는 누구라고 정의 내리고 싶어 하는 욕구에 부합하기 때문입니다. 나는 누구인가? 사람들은 끊임없이 내가 누구인지 알고 싶어 합니다. 그리고 나를 다른 사람에게 알리고 다른 사람들이 나를 어떻게 생각하는지 듣습니다. 자아는 자기 자신에 대한 생각과 느낌의 총합을 말합니다. 신체적으로 어떤 특성이 있고, 성격은 어떻고, 어떤 라이프스타일을 가졌다는 식으로 자기 자신에 대해 스스로 생각하는 이미지가 있습니다. 이것이 자아 이미지(self-image)입니다.

브랜드는 나의 자아를 나타낸다.

마케터가 자아에 관심을 갖는 것은 소비자들이 자신의 자아와 일치하는 브랜드를 구매한다고 보기 때문 입니다. 사람들은 다른 사람들이 사용하는 브랜드를 보고 그 사람이 어떤 사람이라고 생각하는 경향이 있습니다. 어떤 브랜드가 대중에게 강한 이미지를 가지 고 있다면, 그 브랜드를 사용하여서 자신의 이미지와 일치시키려고 하기 때문에 선호됩니다. 특정 브랜드는 사람들에게 긍정적인 자아 이미지를 갖도록 합니다. 반면에 어떤 브랜드는 자아 이미지를 훼손하기 때문에 피합니다.

고급 브랜드로 유명한 벤츠에 광고입니다. 광고 메시지는 다음과 같습니다. "남자들은 여자, 스포츠, 자동차에 대해 이야기한다. 여자들은 스포츠 카 안에 있는 남자에 대해 이야기한다." 광고는 자동차에 성능이나 품질에 대한 이야기는 하지 않습니다. 벤츠 로고가 뚜렷이 보이는 스포츠 카를 타는 남자를 다른 사람들이 열망한다고 말합니다. 벤츠를 소유함으로써 다른 사람들이 나를 우러러볼 것이라는 생각이 들게 만듭니다. 이 메시지에 설득되었다면 이 브랜드를 구매함으로써 자신의 자아 이미지를 한 단계 끌어 올릴 수 있습니다.

사람들은 브랜드로 다른 사람을 판단한다.

당신이 쓰는 제품이 다른 사람들에게 노출된다면 브랜드에 더 신경을 씁니다. 명품 브랜드는 브랜드가 소비자의 정체성을 나타내는 수단이 된다는 것을 잘 이해하고 있습니다. 예를 들어 샤넬, 롤렉스, 벤츠 같은 브랜드는 기능 뿐아니라 대중에게 상징성이 있습니다. 사람들은 자신을 돋보이게 만들 수 있다는 욕구 때문에 웃돈을 주고 명품 브랜드를 사는 경우가 흔합니다.

만약 당신이 쓰는 제품을 사람들이 보지 못한다면 어떨까요? 예를 들어 내 집의 욕실 슬리퍼는 다른 사람들에게 노출되지 않습니다. 많은 사람들이 별다른 고민 없이 저렴한 것을 고릅니다. 그러나 이런 사람들도 자동차와 같이 상징성이 있고 노출이 된다면 구매 기준이 달라집니다. 자신을 돋보이게 만들기 위해 자신의 경제적 능력보다 한 등급을 높여서 구매하기도 합니다. 남이 나의 제품과 브랜드를 보기 때문입니다. 사람들은 자기 자신에 대해 더 좋은 이미지를 갖기를 원합니다. 브랜드는 자신의 자아를 표출하고 강화하는 수단이 됩니다.

당신이 구매하는 상품, 자주 가는 상점, 입는 옷에 브랜드는 당신에 대해 말합니다. 특정 브랜드를 사용함으로써 브랜드 정체성과 연결됩니다. 브랜드가 사람들의 정체성을 나타내는데 사용된다면 그 브랜드는 매우 강한 브랜드입니다. 품질이 같은 제품이더라도 나의 정체성과 일치하는 브랜드라면 더 높은 가격을 지불합니다.

3. 고객 전략

고객은 당신의 제품이나 서비스를 구매하는 개인이나 회사를 말합니다. 고객은 당신에게 매출을 가져다주기 때문에 고객 없이는 생존할 수 없습니다.

고객중심 마케팅의 진짜 의미

고객서비스에 대한 전설적인 사례입니다.

1970 년대에 한 사람이 무턱대고 백화점 직원에게 타이어의 반품을 요구하였습니다. 미국의 고급 백화점인 노드스트롬이었습니다. 그러나 노드스트롬은 타이어를 판매하지 않습니다. 이 황당한 요구를 받은 노드스트롬 직원은 이의제기 없이 환불 해줬습니다. 노드스트롬의 최고 경영자 였던 블레이크는 "고객이 요구한다면 얼마나 오래 됐든, 어떤 이유에서든, 설령 고객의 실수로 문제가 발생했더라도 즉시 현금으로 돌려주는 것이 우리의 정책이다."라고 말하였습니다.

이 사례는 기업 서비스 교육에서 자주 인용되어 왔습니다. 고객들에게 최고로 친절한 정책입니다. 이 이야기로부터 감동을 느끼나요? 어쩐지 이상하다는 생각이 드는 것은 저뿐만은 아닐 것입니다. 기업이

고객요구시 무조건적인 환불을 하기 위해서는 회계적으로 환불충당부채를 크게 잡아야 하고, 그 비용을 상쇄하기 위해서는 결국 가격을 올려 합니다. 정직하지 못한 소수 고객에게 친절을 베풂으로써 그 비용이 다수의 고객에게 전가될 수 있음을 의미합니다.

고객중심(Customer Centric) 마케팅이란?

고객중심 마케팅의 진정한 의미는 이윤을 창출할 수 있는 방법으로 고객의 욕구를 충족시켜 주는 것입니다. 고객이 원하는 모든 것을 충족시킬 수 없습니다. 기업은 이윤을 창출할 수 있는 한도에서 고객에게 더 많은 가치를 제공하려고 노력해야 합니다. 공정하지 못한 고객에게는 "아니오"라고 말해야 합니다.

고객생애가치(CLV: Customer Lifetime Value)

고객중심 마케팅을 위해서는 고객을 이해하고 과학적으로 측정해야 합니다. 고객 가치를 가장 잘 평가할 수 있는 지표가 고객생애가치입니다.

넷플릭스의 예를 보겠습니다. 넥플릭스는 2002년 상장된 이래로 2023년 2월 까지 주가가 29,774% 급등 하였습니다. 넷플릭스는 미디어 대여 시장에서 혁신을 이루었습니다. 시장파괴자였습니다. 넷플릭스 이진 에는 대여점에 가서 비디오를 빌려와서 보고 반납 하였지만, 넷플릭스는 고객들의 집까지 배달을 하였 습니다. 넷플릭스의 가장 큰 혁신은 구독제 서비스를 시작함으로써 비즈니스 모델을 바꾼 것입니다. 2000 년 이후에 많은 회사들이 이 모델을 선택하였습니다. 그 많던 비디오 대여점과 DVD 대여점 같은 물리적 상점이 사라졌습니다. 지금은 구독제 비즈니스모델이 더 다양 하게 발전하고 있습니다.

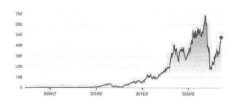

Figure 1 넷플릭스 주가

구독제의 핵심 성공 요소는 고객관계를 이해하고 고객을 오랜 시간 동안 유지하는 것입니다. 고객유지율이 매우 중요합니다. 넷플릭스의 주가 그래프를 보면 2021 년 급락하였습니다. 고객이 줄어들기 시작했다는 뉴스가 나옴에 따라 성장에 대한 기대감이 꺾였던 시기였습니다. 다시 주가가 회복하여 상승하는 시점은 넷플릭스가 고객유지율이 높다는 분석이 나왔을 때였습니다.

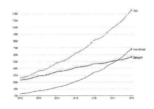

Figure 2 넷플릭스

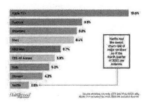

Figure 3 ott 이탈률

넷플릭스는 어떻게 고객을 유지하고 있을까?

(Figure2) 고객획득률 그래프로, 넷플릭스의 구독자 수는 꾸준히 늘어남을 알 수 있습니다. 그러나 고객을 계속 늘리는 것은 한계가 있습니다. 그리고 경쟁자들이 생기면서 시장은 포화되었습니다.

(Figure3) 고객이탈률 그래프는 넷플릭스와 경쟁자들의 고객이탈률입니다. 넷플릭스는 이탈률이 2.5% 가장 낮습니다.

넷플릭스는 추천 시스템과 기술에 얼마나 많은 돈을 투자하고, 고객 이탈을 막기 위해 얼마 만큼 비용을 들여야 하는지를 측정하고 있습니다. 넷플릭스의 사업 지표는 고객생애가치입니다. 고객생애가치는 각

고객 이 과거에 소비한 돈을 바탕으로 고객이 미래에 얼마나 더 소비할 것인지를 추정합니다. 미래에 더 많은 돈을 소비할 고객으로 분류되면 더 집중적인 고객관리 노력을 기울입니다.

요약

고객생애가치를 이해하면 마케터는 가치가 높은 고객에게 집중적인 노력을 기울이고 비용을 효율적으로 쓸 수 있습니다. 또한 고객생애가치는 고객획득과 고객유지를 위해 얼마만큼 돈과 노력을 들여야 하는지 판단하는 기준이 됩니다. 노드스트롬 사례와 같이 모두에게 친절하자는 고객중심 마케팅의 개념이 아닙니다. 자사에 장기적으로 더 많은 수익을 가져다주는 고객, 즉 미래가치가 큰 고객에게 더 큰 마케팅 노력을 기울여야 합니다.

B2B 영업, 영업깔때기 활용

영업 깔때기(sales funnel)는 잠재고객이 반복적인 구매를 통하여 나의 브랜드와 상호작용하는 과정을 시각화하는 방법입니다. 구매 깔때기(purchase funnel) 또는 매출 깔때기(revenue funnel)로 불리기도 합니다. 영업 깔때기는 피라미드를 거꾸로 세운 모양입니다. 상단은 잠재고객이고 하단으로 내려오면 실제고객이 됩니다. 제품에 따라 다른 형태로 나타낼 수 있지만 인지, 관심, 고려, 전환, 충성도가 기본 형태입니다.

영업 깔때기는 회사와 고객의 관계이며 당신이 어떤 마케팅 활동을 해야할지 판단할 수 있는 도구로 매우 유용합니다.

영업 깔때기

인지

관심

고려

구매(전환)

충성도

영업관리 소프트웨어를 사용한다면 리드(lead)라는 표현을 볼 수 있습니다. 리드는 당신의 제품이나 서비스에 관심 있는 잠재고객을 말합니다. 리드는 당신의 제품을 이미 인지하고 있고 영업으로 전환시킬 노력의 대상입니다. 여기서는 마케팅 노력의 대상이 되는 모든 사람들을 잠재고객이라고 하겠습니다.

영업깔때기

첫 단계는 인지입니다. 잠재고객과 전화나 이메일로 소통하고 그들을 알아야 합니다. 그리고 그들이 나를 알게 하는 것이 중요합니다.

많은 사람들 중 구매 가능성이 높은 고객을 식별해야 합니다. 식별된 잠재고객(qualified lead)은 두 가지 요건을 충족해야 합니다. 첫 번째는 나의 제품이나 서비스를 필요로 하고 있으며, 두 번째는 구매를 할 수 있는 경제적 능력이 있어야 합니다. 다시 말해, 식별된 잠재고객은 구매 계획이 있고 예산을 확보하고 있어야 합니다. 오랜 시간 동안 전화통화를 하고 방문하여 미팅을 하고나서, 몇 달이 지나서야 그 회사(또는 개인)는 구매 예산이 없다는 것을 알게 될 수 있습니다. 때로는 전화와 이메일을 통하여 미팅 약속을 잡고 제품 시연과 프레젠테이션을 한 이후에,

그 미팅에는 의사결정 권한이 있는 사람은 없다는 것을 알게 되기도 합니다. 상대방은 미팅을 잡고 정보를 얻으려는 의도일 수 있습니다. 필자는 한 소기업 대표가 채용 의사가 없음에도 불구하고 지원자의 전 직장(경쟁사) 정보를 듣기 위해 면접에 부른다고 말하는 것을 들은 적이 있습니다. 이와 비슷한 일이 영업 과정에도 일어납니다.

영업 노력은 식별된 잠재고객에게 집중하는 것이 중요합니다. 잠재고객의 구매 의사결정자와 소통하려면 문지기 역할을 하는 사람이 누구인지, 예산을 결정하는 사람이 따로 있는지, 최종적인 결정 권한을 가진 사람이 누구인지 알아야 합니다. 내가 처음으로 소통하는 사람은 기업내에서 누가 권한이 있는지 알고 있을 것입니다. 그러나 너무 빠르고 직접적으로 의사결정자와 예산이 있는지를 알아내려고 하면 연락을 끊어 버릴 수도 있습니다. 이런 일은 영업을 해본 사람에게는 놀랍지 않습니다. 잠재고객이 체계적인 구매 의사결정을 내리는 기업이더라도 사람을 이해하고 소통하는 노력을 소홀히 해서는 안됩니다.

두 번째는 관심입니다. 잠재고객이 나의 제품이나 서비스를 구매할 의사가 있음을 확인하였다면 관심 단계에 있는 것입니다. 올바른 의사결정자를 찾아서 미팅을 해야 합니다. 잠재고객이 규모가 큰 기업이라면 최종 의사결정자를 만나기 전에 여러 번 미팅을 요구할 것입니다. 당신의 제품이나 서비스를 평가하기 위해 기술 시연을 하거나, 당신의 기업신용을 객관적으로 증명하는 문서를 제공해야 할 수 있습니다.

다음 단계는 고려입니다. 잠재고객은 나의 제안을 경쟁자의 제안과 비교합니다. 이 단계는 겉으로 드러나지 않기 때문에 측정하기 어려운 때가 많습니다. 잠재고객이 구매를 고려하더라도 법적 계약이나 지급조건에서 문제가 발생할 수 있습니다. 이 단계에서 의사결정자가 구매할 것처럼 신호를 주다가 전화를 안 받거나 이메일 답변을 멈출 수도 있습니다. 그 이유는 의사결정자가 일을 그만두거나 다른 부서로 옮긴 탓일 수 있습니다. 이 경우 이전 단계로 돌아가야 합니다.

위 단계를 모두 성공적으로 마쳤다면 판매(구매)가 이루어집니다. 기업 간 거래는 내가 먼저 제품이나 서비스를 제공하고 대금은 후지급 받는 경우가 많습니다. 대금을 지급받을 때까지 추적해야 합니다. 고객이 만족하였다면 재구매가 일어날 것입니다. 재구매와 반복구매는 기업이 영업비용과 시간을 줄이고 진짜 이익을 내는데 필수입니다. 고객충성도를 높이면 재구매의 선순환이 일어납니다. 재구매의 중요성의 2부에서 자세히 다룹니다.

요약

영업은 잠재고객을 식별하고 그들이 나를 알게 하는 과정입니다. B2B 영업은 잠재고객을 직접 만나서 미팅을 하는 것이 중요합니다. 대게 판매 전에 여러 번 미팅을 하게 됩니다. B2B 제품이나 서비스는 B2C 보다 복잡하고 과학적인 의사 결정을 거치는 것이 보통입니다. 그럼에도 불구하고 의사결정자는 언제나 사람이기 때문에 의사소통에 세심한 주의를 기울여야 합니다. B2B 영업은 비용이 많이 들어갑니다. 판매량이 크거나 반복구매가 일어나도록 해야 합니다.

휴리스틱, 적은 노력으로 빠르게 판단하기

데이터를 이용한 의사결정은 확률과 빈도를 계산하여 이루어집니다. 예를 들어 소비자 설문조사로 디자인 선호도를 파악하여 가장 성공확률이 높은 디자인을 판단하여 제품을 만듭니다. 주식 투자를 할 때도 여러 가지 기업지표를 분석하여서 오를 확률이 가장 높은 주식을 매수합니다. 집 밖에 나설 때 우산을 가져갈지 말지 비 올 확률로 판단합니다.

확률을 이용한 판단은 많은 데이터를 수집하고 분석을 거쳐야 하기 때문에 어렵습니다. 대신에 사람들은 직관을 사용하여 의사결정을 합니다. 직관을 이용하면 적은 노력으로 빠른 판단이 가능합니다. 이를 휴리스틱(heuristic)이라고 합니다.

위키백과의 휴리스틱 정의입니다.

> 휴리스틱 또는 발견법이란 불충분한 시간이나 정보로 인하여 합리적인 판단을 할 수 없거나, 체계적이면서 합리적인 판단이 굳이 필요하지 않은 상황에서 사람들이 빠르게 사용할 수 있게 보다 용이하게 구성된 간편 추론의 방법이다.

휴리스틱 편향 예제

창업을 하고 사업이 바빠져서 직원을 채용할 예정입니다. 창업자는 우리나라 상위 10 위 안에 드는 학교를 졸업한 사람만 채용하기로 결정하였습니다. 휴리스틱을 사용한 것입니다.

이 판단으로 무엇이 잘못될 수 있을까요? 무엇보다 상위 10 위라고 제한함으로써 10 위권 대학은 아니지만 우수한 직원을 채용할 기회를 잃는 것입니다. 많은 우수한 학생들이 다양한 이유로 상위 10 위권 대학에 가지 않습니다. 또한 상위 10 위권도 기준에 따라 달라집니다. 10 위권이 아니지만 나의 회사에 더 큰 기여를 할 수 있는 사람들이 있습니다. 이것이 휴리스틱에 문제점입니다.

휴리스틱에 장점은 무엇일까요? 채용에 드는 비용을 줄일 수 있습니다. 제한을 없애면 더 많은 후보자를 탐색하고 평가해야 합니다. 일반적으로 재능을 인정받은 학생이 더 상위권 대학을 갑니다. 대학은 1 차적으로 학생의 재능을 평가하는 과정을 거쳤다고 볼 수 있습니다.

휴리스틱은 자원이 부족하고 불확실성이 높을 때 적은 비용으로 빠른 판단을 내릴 수 있게 만듭니다. 그러나 때로는 휴리스틱이 치명적인 실수를 하게 만듭니다. 창업 초기에는 불확실성이 크고 빠른 의사결정을 해야 할 때가 많으며 휴리스틱을 더 사용합니다. 휴리스틱을 정리해 두고 중대한 결정은 휴리스틱에 의한 편향이 아닌지 점검해 보면 나은 결정을 할 수 있습니다.

대표적인 휴리스틱 세 가지를 알아보겠습니다.

1. 이용가능성 휴리스틱

이용가능성 휴리스틱(Available heuristic)은 관련된 정보를 얼마나 쉽게 떠올릴 수 있는지에 따라 판단하는 편향을 말합니다. 사람들은 가장 이용하기 쉬운 정보에 영향을 받습니다. 실험을 해보겠습니다. 우리나라에서 한 해에 자동차 사고와 폐렴 중 어느 쪽이 사망자가 더 많을까요?

미국에서 이와 비슷 질문을 하면 대략 80%의 사람들이 자동차 사고 사망자가 더 많을 것이라고 대답합니다. 아래는 우리나라 통계청 데이터입니다.

[표 4] 사망원인 순위 추이, 2011-2021

필자는 자동차 사고로 인한 사망이 훨씬 더 많을 것이라고 생각하였습니다. 요즘도 폐렴으로 죽는 사람이 있나 하는 생각이 들 정도였습니다. 통계를 보면 2011 년에는 운수사고가 9 위이고 폐렴은 6 위였습니다. 2021 년에는 폐렴이 3 위인에 반해 운수사고는 아예 10 위안에 들지 못했습니다. 아마 많은 사람들이 자동차 사고가 우리나라의 주요 사망원인이라고 추정하였을 것입니다. 무엇이 일어나고 있는 것일까요?

이런 판단은 의식을 하지 못할 정도로 아주 빠른 시간 안에 일어납니다. 교통사고로 인한 사망자는 빠르게 떠오릅니다. 교통사고 사망자는 뉴스에서 자주 다루지만 폐렴 사망자는 뉴스에 잘 나오지 않습니다. 이와 같은 이유로 사람들은 비행기사고, 홍수, 지진 같은 일이 실제보다 훨씬 더 높은 확률로 일어난다고 생각하는 경향이 있습니다.

이용가능성 휴리스틱은 마케팅의 여러 분야에서 유용합니다. 마트에 세제를 사러 갔습니다. 수십 종류에 제품과 브랜드가 있습니다. 대부분의 사람들은 큰 고민을 하지 않습니다. 진열대에 추천하는것을 고릅니다. 또는 광고에서 한번 들어본 브랜드를 선택합니다. 필요할 때 기억이 떠오르는 것을 선택하는 편향 때문입니다.

주식 투자는 치밀한 분석이 필요하지만 많은 경우 이용가능성 휴리스틱을 이용합니다. 기업 관련 뉴스가 나오면 그것이 좋은 뉴스이든 나쁜 뉴스이든 주식거래수가 늘어납니다. 다른 사람들이 하나의 주식에 대해 이야기를 하면 어떤 근거가 있을 거라는 생각에 주식을 선택하게 됩니다.

2. 닻 내림 휴리스틱

닻 내림 휴리스틱(Anchoring heuristic)은 불확실한 것을 추정할 때 초깃값에 닻을 내리는 것입니다. 사람들은 수에 대한 결정을 내릴 때 기준점을 잡고 시작하는 경향이 있습니다. 예를 들어 창업을 하고 아이디어를 빠르게 사업화하기 위해 전문가에게 컨설팅을 받으려고 합니다. 컨설팅 비용은 하루당 얼마를 지불해야 할까요? 처음이기 때문에 아무런 정보가 없습니다. 하루에 10만 원이 될지 100만 원이 될지 알 수 없습니다. 이렇게 불확실성이 큰 경우 가장 관련 있는 것을 찾아 기준으로 잡고 정보를 더 탐색하며 조정해 나갑니다.

노벨경제학상을 받은 카네만과 트버스키(Kahneman and Tversky)는 무관한 정보를 기준점으로 사용하는 편향을 실험하였습니다. 조사대상자는 1~100 사이의 숫자가 있는 원판을 돌리게 하였습니다. 그 원판은 오직 10과 65만 나오도록 설계되어 있었습니다. 조사대상자들은 당시 아프리카 국가 중 UN에 가입한 나라의 비율을 추정하는 질문을 받았습니다. 원판 숫자가 10 이 나온 조사대상자들의 평균 답은 25%였습니다. 65 가 나온 조사대상자들의 평균 답은 45%였습니다. 사람들은 무작위로 주어진 10 과 65 라는 숫자에 따라 판단기준이 완전히 달라졌습니다. 추가적인 연구로, 조사대상자들에게 정확한 추정을 하면 돈을 주겠다고 제안 하였습니다. 그러나 결과는 같았으며 사람들의 편향은 개선되지 않았습니다.

3. 프레이밍 휴리스틱

프레이밍 휴리스틱(Framing heuristic)은 같은 내용의 정보일지라도 어떻게 프레이밍 되었는가에 따라 다르게 인식하는 것을 말합니다. 예를 들어 할인행사에 프레이밍을 할 수 있습니다. <85%의 고객이 이 제품에 만족하였습니다>라고 말하는 것이 <15%의 고객만 불만족하였습니다.>라고 말하는 것이 낫습니다. 같은 예로 우유를 판매할 때 <75% 무지방>이라고 광고하는 것이 <지방은 오직 25%>라고 하는 것보다 낫습니다. 두 가지는 같은 정보이지만 프레이밍으로 긍정적인 인식을 만들 수 있습니다.

프레이밍은 나의 제품이나 브랜드를 긍정적인 것과 연결시키거나, 경쟁자와 차별하는 데 사용할 수 있습니다. 경차에서 돌풍을 일으킨 현대 캐스퍼는

경차와 소형 SUV 의 '중간 영역'으로 포지셔닝
하였습니다. 경차도 아니고 소형 SUV 도 아닌 새로운
카테고리로 고객이 인식하도록 프레이밍을 만들어
차별화를 하고 있습니다.

요약

사람들은 확률과 얼마나 자주 일어나는지 빈도를
판단하여 유리한 것을 선택합니다. 확률 판단은
어렵기 때문에 사람들은 적은 노력만으로 빠른
판단을 할 수 있는 휴리스틱을 사용합니다.
이용가능성 휴리스틱, 닻 내림 휴리스틱, 프레이밍
휴리스틱은 마케팅 전략과 판매촉진, 영업에서
다양하게 활용됩니다.

4. 고객 가치

고객이 인식하는 가치는 당신이 광고를 하거나 제품의
가격을 결정하는데 중요한 역할을 합니다. 평판, 가격,
편의성은 고객이 인식하는 제품 가치에 영향을 줍니다.
고객이 인식하는 가치를 증대 시키면 이익이
증가합니다.

가치제안지도
(고객이 인식하는 가치)

스마트폰의 초기 시장에 있었던 일화입니다.

> 2007 년 아이폰이 출시된 후 개발자들은 앱을
> 만들어서 스스로 가격을 정하여 배포할 수
> 있었습니다. 애플은 플랫폼을 제공하고 개발자는
> 앱을 판매하여 수익을 올릴 수 있는 윈윈 구조입니다.
> 초창기에 한 개발자는 500 달러(원화 60 만 원 상당)
> 짜리 앱을 만들어 배포하였습니다. 앱을 열면 '나는
> 성공한 사람이다'라는 문구가 나왔습니다. 다른
> 기능은 없었습니다. 다섯 명이 이 앱을
> 구매하였습니다. 애플은 논의를 하다가 이 앱을
> 사기라고 결정하고 판매를 막았습니다. 이후 애플은
> 개발자가 앱을 출시하기 전에 엄격한 심사를
> 거치도록 만들었습니다.

대부분의 사람들은 이 앱이 사기라는데 동의할
것입니다. 그러나 이 앱을 구매했던 사람 중에는
자신의 부를 과시할 수 있는 기회로 여기고 즐거움을

느낀 사람도 있을 것입니다. 같은 제품도 개인에 따라 인식하는 가치는 다릅니다. 개인이 인식하는 가치는 얼마만큼을 지불할지 기준이 됩니다.

믿는 대로 세상이 보인다

'싼 게 비지떡'이라는 말은 비싼 게 제값어치 하다는 뜻으로 쓰입니다. 사람들은 가격이 높을수록 품질이 높을 거라고 기대하는 가격품질연상 편향이 있습니다. 제품이 복잡하여 이해하기 어렵거나, 경쟁제품과 직접 비교하기 어려울 때 고객은 가격품질연상에 더 의존합니다. 가격품질연상은 오래전부터 알려져 있있기 때문에 새롭지 않습니다. 2008년 캘리포니아 공과대학에서는 fMRI(자기 공명영상)를 사용하여 추가적인 연구를 하였습니다.

> 20명의 참가자들은 5개의 와인 맛을 평가해야 했습니다. 병당 와인 가격은 5달러, 10달러, 35달러, 45달러, 90달러였습니다. 와인을 맛보는 동안 fMRI로 뇌활동을 관찰했습니다. 참가자들은 와인을 두 가지씩 마시며 어느 것이 나은지 선택해야 했고, 대게 비싼 와인이 더 맛있다고 했습니다. 5달러짜리보다 90달러짜리가 확실히 맛있다고 응답했습니다. 참가자들은 모르고 있었지만 5개 와인은 모두 정확히 같았습니다. fMRI 영상을 보면, 참가자들이 비싼 와인이라고 알고 와인을 마실 때 쾌락과 연관된 뇌부위가 활성화 되었습니다. 참가자가 더 맛있다고 한 건 알맹이 없는 허영심이 아니었습니다. 비싸다는 믿음이 실제로 더 큰 만족을 느끼게 만들었습니다.

우리는 사물을 있는 그대로 받아들이지 않습니다. 우리는 자신이 믿는 대로 세상을 이해합니다. 이 연구를 반대편에서 보면, 아무리 품질이 좋아도 상대방에게 적절하게 가치를 전달하지 못하면 상대는 가치를 낮게 평가합니다. 당신은 고객에게 제품을 구매할 가치가 있다고 설득해야 합니다.

가치 제안

가치 제안은 고객 관점에서 바람직한 이익을 몇 개의 단어로 표현한 문구를 말합니다. 고객은 제품이나 서비스를 사용함으로써 무엇인가를 쉽게 성취할 수 있어야 합니다. 구매하기 이전보다 구매한 이후의 상태가 더 나아져야 합니다. 다음은 제품 구매로 고객이 얻는 이익의 구체적인 예입니다.

· 서비스, 지식 정보:- 운동이벤트 앱을 사는 고객은 주변의 운동 행사 정보를 알고 참여할 수 있습니다.
-변호사에게 소송을 맡긴 고객은 법률공부를 하지 않고 자신의 법적 권리를 지킬 수 있습니다.
-경영컨설팅을 받는 고객은 복잡한 의사결정 문제를 객관적이고 논리적으로 해결할 수 있습니다.

· 제품:- 요가매트를 사는 고객은 매트 위에서 미끄러지지 않고 운동할 수 있습니다.
- 기능성 러닝화를 사는 고객은 달리기 기록을

단축할 수 있습니다.

– 자동차를 구매자는 출퇴근 시간을 줄일 수
있습니다.

가치 제안은 고객을 설득하는 핵심적인 짧은 문구
입니다. 광고, 홍보, 영업을 할 때 고객을 사로잡을 수
있는 문구여야 합니다.

가치 제안 지도

가치 제안 지도는 제품이나 서비스로 어떻게 고객의
욕구와 필요를 충족시킬 수 있을지 계획할 때 쓰이는
시각화 도구입니다. 그림에서 세로축은 <고객의
상대적 비용>을 나타내고 가로축은 <고객의 상대적
이익>을 나타냅니다. 제품이 고객에게 이익이 되는
가치를 많이 제공할수록 고객은 더 많은 돈을
지불합니다. 여기서 상대적이란 말에 유의해야
합니다. 똑같은 제품도 사람마다 느끼는 가치는
다릅니다.

기업이 고객에게 낮은 가격을 물린다면 고객은 적은
이익을 기대합니다. 만약 내가 경쟁자보다 열등한
것을 제공하고 높은 가격을 책정하면 고객은
구매하지 않습니다. 가격보다 적은 가치를 제공하면
시장에서 살아남지 못합니다. 보다 더 큰 가치를
얻으려고 합니다.

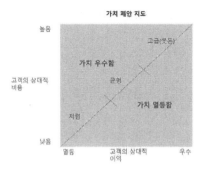

경쟁자들은 모두 고객에게 높은 가치를 전달하기 위해 노력하고 있습니다. 만약 매우 경쟁적인 시장에서 누군가 우수한 가치를 제공한다면 어떻게 될까요?

나이키는 카본을 소재로 마라톤화를 개발하였습니다. 케냐 선수는 이 신발을 신고 세계 마라톤 기록을 갈아치웠습니다. 이 신발을 마라톤 선수가 사용하면 42.195km 를 달렸을 때 최대 4% 정도까지 기록이 개선된다고 알려져 있습니다. 가격은 30 만 원대입니다. 높은 가격에도 불구하고 달리기 동호회 사람들은 줄을 서서 제품을 샀습니다. 그러자 아디다스, 아식스, 브룩스, 뉴발란스, 호카 같은 경쟁자들이 카본의 이점을 모방하여 비슷한 제품을 연이어 출시하였습니다. 나이키가 고객에게 제공하던

차별적 이익이 줄어들었습니다. 가격 할인으로
경쟁이 바뀌고 있습니다.

가치는 사람들의 인식입니다. 대다수 사람들에게
30 만 원짜리 마라톤화는 가치가 없지만 일부
고객층은 30 만 원이 공정한 가치교환이라고
인식합니다. 그러나 시간이 지나면 경쟁으로 인해
고객이 인식하는 가치도 변합니다. 마케터는
가치제안지도를 사용하여 어느 고객에게 어느 정도의
가치를 제공할지 지속적인 분석을 해야 합니다.

서비스업의 가치 사다리

준비된 가치제안

> 애플 직원들은 엘리베이터에서 스티브잡스와 마주치기를 두려워했습니다. 스티브잡스는 직원에게 회사를 위해 무슨 일을 하는지 물어봤고 엘리베이터가 이동하는 시간 동안 대답을 제대로 못하면 해고하였습니다. 스티브 잡스는 완벽주의를 추구하고 평소 성격이 불같았다는 것이 동료들의 공통된 증언입니다.

기회는 준비된 사람에게 찾아옵니다. 그러나 기회가 언제 찾아올지 모르기 때문에 어디를 가든 준비되어 있어야 합니다. 엘리베이터 피치(Elevator pitch)를 연습해야 하는 이유입니다. 엘리베이터 피치는 언제든지 나의 기술과 목표에 관련된 정보를 요약해서 말하는 능력입니다. 30~60 초 이내에 깊은 인상을 남겨야 합니다. 피치는 짧은 시간 동안 경험, 능력, 전문성을 한 번에 전달하는 가치제안의 예입니다.

가치 사다리

가치 사다리는 브랜드를 가치제안으로 전환한 도표입니다. 가치 사다리의 세로축은 고객에게 이익이 되는 가치, 가로축은 가격을 나타냅니다. 고객에게 가치가 적으면 가격이 낮고, 가치가 추가될수록 가격은 더 올라갑니다. 가치 사다리를

이용하여 고객에게 맞춤형 가치제안을 함으로써
고객만족도를 높이고 회사는 더 높은 이익을 낼 수
있습니다.

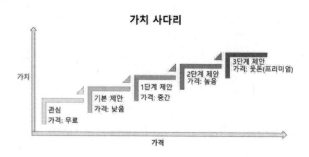

고객이 당신의 제품이나 브랜드에 대해 거의 아는
것이 없다면 우선 당신을 알려야 합니다. 영업
깔때기의 인지와 관심 단계입니다.(영업 깔때기 참조)
고객에게 알리기 위해서 무료로 가치를 제공할 수
있습니다. 예를 들어 변호사가 블로그로 법률정보를
무료로 제공합니다. 무료로 가치를 얻은 소비자의
일부는 관심을 가질 것이고, 그중 일부는 구매를
고려하는 잠재고객으로 전환됩니다.

고객이 원하고 필요한 것이 많을수록 더 많은 가치를
제공할 수 있습니다. 가치 사다리를 이용한 판매는
제품보다 서비스에 더 유용합니다. 서비스는 대게
사람에 의해 이루어지기 때문에 가치상승에는 제한이
없습니다. 당신의 제안에 관심이 있는 사람 중 1%는

3 단계 이상의 높은 가치를 원하고 그만큼에 가격을 지불할 준비가 되어 있다는 점을 기억해야 합니다.

가치 사다리의 활용 예시

예시 1) 자동차 판매자의 상향판매

현대차는 캐스퍼를 출시하여 소형 SUV 시장에서 돌풍을 일으켰습니다. 현대차는 고객의 니즈에 따라 4 단계로 가치제안을 하고 있습니다. 가장 많은 편의사항을 추가한 '익스퍼레이션'은 기본형인 '스마트'보다 가격이 35% 높습니다. 자동차는 높은 예산을 갖고 구매를 하기 때문에 단계별 가격 상승 차이는 비교적 적어 보입니다. 처음에는 예산에 맞춰 기본형을 보던 사람도 약간의 돈을 추가하여 한단계 업그레이드된 제품을 사게 되는 경우가 많습니다. 상향판매(Upselling)는 같은 제품이지만 업그레이드와 추가기능으로 더 많은 가치를 구매하도록 고객을 초대하는 판매기술입니다. 판매자는 더 많은 편의기능으로 언제든지 한 단계 더 높은 가치제안을 시도할 수 있습니다.

예시 2) 경영지도사의 컨설팅 가치 사다리 설계

의사에게 상담 받는 것을 영어에서는 컨설팅(consult with doctor)이라고 말합니다. 컨설팅은 전문적이거나 기술적인 일을 하는 사람들에게 전문적인 조언을 해주는 서비스입니다. 국가공인자격을 가진 경영지도사가 독립적으로 컨설팅을 한다면 고객에게 어떤 가치제안을 할 수 있을까요? 경영지도사는 자기 전문분야에 따라 다음과 같이 가치사다리를 설계하였습니다.

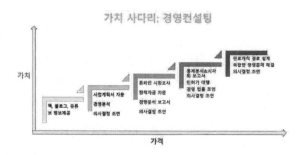

가장 낮은 수준의 가치제안은 책, 블로그, 유튜브를 이용한 정보 제공입니다. 이런 정보들은 무료이기 때문에 고객의 저항이 없이 인지와 관심을 불러일으킬 수 있습니다. 한단계 높은 가치제안은 사업계획서 작성방법과 창업절차에 대한 자문 등입니다. 사업주가 경영애로 문제해결을 의뢰한다면 전문적 분석보고서 작성, 행정기관 인허가 대행,

중소기업관련 법령과 제도 조언과 같은 가치제안을 합니다. 가장 높은 수준의 가치제안은 이해관계자가 여러 명이고 애매모호하거나 불확실성이 높은 문제해결입니다.지식정보 서비스업은 가치 사다리를 통한 분석이 중요합니다.

서비스는 무형적인 특성때문에 고객이 어떤 결과를 얻을지 불확실성이 더 큽니다. 따라서 고객의 저항을 줄이기 위해서는 고객이 서비스 구매를 통하여 어떤 이익을 얻을 수 있는지 분명하게 알릴 수 있어야 합니다.

요약

가치제안은 고객 관점에서 바람직한 이익을 몇 개의 단어로 표현한 문구를 말합니다. 가치 사다리는 제품이나 브랜드를 가치제안으로 전환한 도표입니다. 고객에게 맞춤형 가치를 제공하고 더 높은 이익을 낼 수 있는 기회를 발견할 수 있습니다. 서비스업은 가치상승의 제한이 없습니다.

구매 동기에 따른 마케팅 전략

고객에게 필요해서 사는 것 일까요? 아니면 굳이 없어도 되지만 좋아하니까 사는 것일까요? 사업주는 고객이 나의 제품을 선택해야 할 이익이 무엇인지 분석해야 합니다. 모든 사람은 즐거움을 추구하고 고통을 피합니다. 나의 제품이 고객의 고통을 줄여줄 진통제인지, 즐거움을 높여주는 비타민인지 분석하여 고객에게 다른 방식에 메시지를 전달해야 합니다.

예시:- 자동차를 사는 구매 동기

진통제:- 자동차 매장에 고객이 찾아왔습니다. 어떤 목적의 차를 찾는지 물어봤습니다. 고객은 새로운 직장을 얻고 대중교통을 이용하며 장시간 출퇴근을 하다가 불편함을 줄이기 위해 자동차를 구매하려고 합니다. 구매 동기는 고통 줄이기입니다. 이 경우에는 연비와 세금혜택과 같은 실용성을 강조하고 관리가 쉬운 차를 추천할 것입니다.

비타민:- 자동차 매장에 중년의 남성이 찾아왔습니다. 고객은 최근 임원으로 승진을 하고 여윳돈이 생겨서 고급차를 사려고 합니다. 고객은 자신의 부와 지위를 차를 통해 드러내고 싶은 욕구가 강한 것으로 보입니다. 즐거움을 추구하고 있는 것입니다.

실용성보다는 프리미엄(웃돈)을 주더라도 고급차를
추천해야 할 것입니다.

마케팅 전략 매트릭스

제품이 복잡하고 비쌀수록 고객은 다양한 요소를
고려합니다. 무엇을 살지 최종적인 결정은 자신의
구매 동기에 달려있습니다. 제품과 서비스는 고객의
가려운 곳을 긁어줄 수 있어야 합니다. 제품을
구매하였을 때 구매하기 이전보다 더 나은 상태가
되어야 합니다. 기분이 나아져야 합니다.
제품이 고객에게 진통제인지 비타민인지에 따라
그림과 같은 마케팅 전략을 선택할 수 있습니다.

브랜드:- 루이 뷔통 가방은 일반 제품보다 수십 배
이상 높은 가격을 책정하고 있습니다. 그렇다면
품질도 수십 배 좋을까요? 품질은 약간 증가하지만
가격은 수십 배 높은 것이 명품 브랜드의 특징입니다.

명품 브랜드는 자신의 부와 지위를 나타내려는 고객의 동기를 충족시키고 있습니다.

경제학자인 베블런은 가격이 오를수록 수요가 증가하는 베블런 효과를 제시하였습니다. 고급 자동차, 명품 가방, 보석, 여행과 같이 남들에게 보여줄 수 있고 남들이 쉽게 관찰할 수 있는 제품들에서 주로 나타납니다.

경험:- 스타벅스는 '제 3 의 공간'이라는 콘셉트로 커피 문화를 이끌어왔습니다. 스타벅스는 단순히 커피를 판매하는 곳이 아닌 인간적인 관계와 감성을 소통하는 경험을 제공하는데 중점을 두고 있습니다. 스타벅스 매장에 들어가면 향기로운 커피 냄새가 나고, 바리스타는 자신이 만드는 커피에 대한 지식을 교육을 받아 고객에게 설명할 수 있고, 은은한 조명과 듣기 좋은 재즈음악은 고객에게 편안한 느낌을 갖게 만듭니다. 경험 마케팅은 고객의 즐거움을 증대 시킵니다.

낮은 가격:- 물가가 치솟으며 단돈 1 만 원으로 할 수 있는 게 별로 없다고 하지만 다이소는 예외입니다. 다이소는 가성비 제품들로 문전성시를 이루고 있습니다. 다이소는 생활용품을 저렴한 가격에 판매하고 있습니다. 많은 상품의 가격이 1000 원이고, 1500, 2000, 3000, 5000 원의 균일 가격을 유지하고 있습니다. 저가격은 고객의 부담을 줄여줍니다.

그러나 소기업은 대기업과 가격으로 경쟁해서 이기기 어렵습니다. 시장침투를 위해 저가격 전략을 쓸 수 있지만 저가격을 장기적으로 사용하기 위해서는 많은 자본이 투입되어야 합니다.

성가심 없음:- 11 번가는 온라인 오픈마켓입니다. 누구든 물건을 살 수도 있고, 팔 수도 있는 '열린 시장'입니다. 식품부터 전자제품까지 한 번에 검색하여 구매할 수 있습니다. 클릭 몇 번만 하면 제품이 집 앞까지 배달됩니다. 제품에 하자가 있는 경우 환불도 쉽게 받습니다. 고객이 제품을 찾는 노력과 이동하는 시간을 줄임으로써 고객의 성가심을 줄여주고 있습니다. 돈이 더 들어가더라도 편의성을 추구하는 고객의 욕구를 충족시키는 전략입니다.

소비자는 다양한 동기로 제품이나 서비스를 구매합니다. 제품이 꼭 필요해서 살 수도 있고, 그저 좋아해서 살 수도 있습니다. 제품은 고객의 상태를 긍정적으로 변화시켜야 합니다. 제품을 사용함으로써 즐거움이 증가되거나 고통이 줄어들어야 합니다. 진통제와 비타민 중 하나를 선택해야 한다면 필요 충족을 기반으로 하는 진통제가 나은 사업 모델입니다. 나의 제품이 고객에게 어떤 이익을 줄 수 있는지 결정하고 매트릭스를 이용하여 마케팅 전략을 결정할 수 있습니다.

5. 가격 전략

가격은 적절한 숫자를 정하기처럼 간단한 일이
아닙니다. 가격 전략은 매출과 이익은 물론, 고객의
인식과 시장에서 당신의 포지션에 큰 영향을
미칩니다.

가격의 중요성

마케팅교과서에서는 마케팅믹스로 4Ps (Product,
Place, Promotion, Price)를 제시합니다. 그러나
공식적으로 마케팅 직무에 있는 사람들은 대부분
Promotion(판매촉진) 활동에 집중합니다. 다른 세
개의 P 는 전문 부서가 이미 존재하기 때문입니다.
그러나 마케팅믹스는 통합적으로 기업의 이익을
결정하기 때문에 각 요소를 잘 조화시켜야 합니다.
이익과 직결되는 가격의 중요성에 대해
알아보겠습니다.

가격 결정

가격은 제품의 가치를 나타내는 기준입니다. 가격은
전기료, 이자, 봉급, 지하철요금, 강의료 등을
말합니다. 소비자는 원하는 제품을 얻기 위해 가격을
지불합니다. 기업은 가치를 창조해 내기 위한 노력을
가격으로 되돌려 받습니다. 마케팅 전략, 브랜드, 제품,
유통, 촉진과 같은 다른 마케팅 요소들은 장기적인

노력이 투입되고 효과는 늦게 나타나는 경우가
많습니다. 그에 비해 가격은 즉각적으로 대응이
가능하기 때문에 통제력이 높은 것이 특징입니다.

맥킨지(McKinsey&Company)는 2003 년 가격의
중요성에 대한 연구를 하였습니다. S&P 500 기업을
대상으로 가격과 이익의 관계를 조사하였습니다.

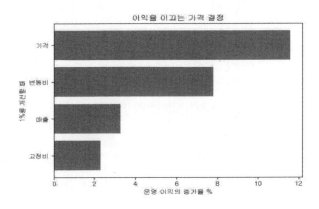

요소별 1% 개선 시 이익 증가율 퍼센트 (맥킨지 연구)

이 그림은 각 요소를 1 퍼센트 개선하였을 때, 이익은
몇 퍼센트 증가하는지를 나타냅니다.

· 고정비를 1% 개선하면 이익이 2.3%
증가하였습니다.
· 매출을 1% 증대시키면 이익이 3.3%
증가하였습니다.
· 변동비를 1% 줄이면 이익이 8% 증가하였습니다.
· 가격을 1% 증가시키면 이익이 11%

증가하였습니다.

경영자가 어떤 요소든 개선할 수 있다면 이익에 가장
큰 영향을 주는 것이 가격입니다. 연구결과를 보지
않았더라도 사업을 하는 사람들은 대충 짐작하고
있는 사실입니다.

추가로 맥킨지는 마케팅 관리자들이 이익을 내기
위해 어떤 노력을 하는지 설문조사를 하였습니다.

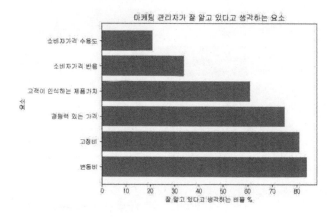

마케팅 관리자의 지식 (맥킨지 연구)

마케팅 관리자들은 변동비 관리에 가장 집중하고
있었습니다. 두 번째는 고정비이고, 세 번째는 경쟁력
있는 가격이었습니다. 변동비와 고정비는 원가절감
분야입니다. 기업이 이미 원가 절감을 위해 쥐어짜고
있다면 개선이 어렵고 개선하더라도 이익률은 크게
올라가지 않습니다. 맥킨지는 체계적인 가격결정으로
이익을 개선할 기회가 많다고 제안하였습니다.

가격할인은 신중히 하라.

마케터들 사이에서는 <아무런 아이디어도 없을 때 가격 할인을 한다.>라는 말이 있습니다.

마케터는 다른 마케팅과업에서 실력을 발휘해도 조직에서 성과를 과시하기 어렵습니다. 예를 들어 브랜드 구축은 경쟁자와 차별화하여 회사에 이익을 가져다주는 중요한 역할을 하지만, 브랜드구축은 시간이 오래 걸리고 노력이 많이 들어갑니다. 반면 가격은 즉각적으로 변경할 수 있고 단기적으로 매출을 올릴 수 있습니다. 할인행사를 하고 싶은 유혹에 빠지기 쉽습니다. 그러나 가격할인은 부작용이 많습니다. 가격을 내리면 소비자들에 기준점이 생겨서 다시 가격을 올리기 어렵습니다. 할인을 자주 하면 소비자가 구매를 하지 않고 할인을 할 때까지 기다리도록 학습시키는 효과도 있습니다. 지나친 할인은 어렵게 쌓은 브랜드 평판을 떨어뜨릴 위험도 있습니다. 따라서 경영자가 가격할인을 원하더라도 마케터는 특별한 사정(예: 긴급한 현금유입 확보)이 없으면 가격할인은 최후에 수단으로 보아야 합니다.

좋은 가격은 시장에서 균형을 맞추는 일입니다. 원가만으로 가격을 결정하는 경우는 적습니다. 좋은 가격을 결정하기 위해서는 다음 세가지 분야에 역량을 갖추고 있어야 합니다.

- 경제:- 가격은 경제상황과 경쟁자에 영향을 받습니다.
- 심리:- 소비자가 인식하는 제품의 가치에 따라 가격이 달라집니다.
- 분석능력:- 실험으로 소비자 데이터를 수집, 분석, 최적화하는 작업을 위해 기본적인 컴퓨터 지식과 통계분석 지식이 필요합니다.

요약

가격은 제품이나 서비스가 시장에서 평가받는 가치를 나타냅니다. 마케팅믹스 중 가격은 즉각적으로 변경 가능한 유연함이 특징입니다. 맥킨지의 연구에 따르면 가격결정은 기업이 이익을 내는데 큰 영향을 미치지만 관리자들은 좋은 가격결정을 위한 지식이 부족하고 개선의 여지가 있습니다. 가격할인은 부작용이 많기 때문에 신중히 결정해야 합니다.

가격 탄력성

테슬라는 시가형 자동차라는 별명이 있습니다. 주력 모델인 모델 3 의 가격을 빈번하게 올리다가 갑자기 가격을 10% 나 떨어뜨렸습니다. 경쟁사들의 영업이익율은 8%입니다. 테슬라는 무려 18%로 제조업에서 이례적으로 높습니다. 영업이익율이 높다는 것은 그만큼 고객에게 높은 가격을 물리고 있다는 의미입니다. 테슬라 주주들은 환호하겠지만 합리적인 소비자는 언짢아질 수 있는 사실입니다. 고 가격 전략은 대게 럭셔리 브랜드로 포지셔닝한 경우에 가능합니다.

가격결정에 영향을 미치는 요인은 원재료, 노무비, 제조경비와 같은 원가가 있습니다. 원가를 낮게 유지하는 일은 제조업, 건설공사, 선박제조 산업에서 이익을 높이는데 중요합니다. 또 다른 요인은 고객 수요입니다. 가격을 너무 높게 책정하면 고객은 대체품을 삽니다. 경쟁자의 중요한 요소로 고객을 빼앗기지 않으면서 이익을 낼 수 있는 가격 균형점을 찾아야 합니다.

가격 탄력성

가격 탄력성은 소비자가 제품이나 서비스에 어느 정도 가치를 느끼고 반응하는지 숫자로 제시합니다.

가격과 소비자의 상호작용은 수요의 법칙(low of demand)과 가격 탄력성(Elasticity)의 개념으로 분석할 수 있습니다.

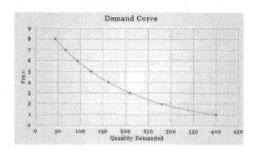

수요의 법칙은 가격이 높을 때 판매량이 줄고 낮을 때 판매량 많아지는 것입니다. 다시 말해, 조건이 동일할 때 수요는 가격에 반비례한다고 이해할 수 있습니다.

다시 테슬라의 예입니다. 테슬라가 모델 3 의 가격을 올리면 이익이 늘어날까요? 그렇지 않으면 소비자들이 모델 3 을 포기하고 경쟁사의 제품을 살까요? 가격결정은 이익에 큰 영향을 미칩니다. 고객에게 더 높은 가격을 물려도 고객이 이탈하지 않는다면 가격을 올릴 것입니다. 그러나 수요의 법칙에 따라 가격을 올리면 판매량은 줄어들고 전체 이익이 줄어듭니다. 어떻게 균형 잡힌 가격을 찾을 수 있을까요?

가격 탄력성은 가격 변화에 따라 제품 판매량이 변화하는 정도를 측정한 지표입니다. 가격탄력성으로 탄력적인지 비탄력적인 판단합니다.

$$가격\ 탄력성 = \frac{판매량\ 변화율_{(\%)}}{가격\ 변화율_{(\%)}} = \frac{\frac{변화\ 후\ 판매량 - 변화\ 전\ 판매량}{변화\ 전\ 판매량}}{\frac{변화\ 후\ 가격 - 변화\ 전\ 가격}{변화\ 전\ 가격}}$$

가격 탄력성의 값이 절댓값 1 보다 크다면 가격 탄력적(Price elastic)입니다. 절댓값이 1 보다 작다면 가격 비탄력적(Price inelastic)입니다. 예를 들어 테슬라가 모델 3 의 가격을 10% 올렸을 때 판매량이 30% 감소하였다면 가격탄력성은 -3 이며 매우 탄력적입니다. 가격을 10% 올렸을 때 판매량이 5%만 감소하였다면 가격탄력성은 -0.5 이며 비탄력적 입니다. 대게 고급승용차는 가격탄력성이 낮고 경 승용차는 가격탄력성이 높습니다.

제품별 가격결정

가격 탄력적 수요는 주로 대체제가 충분한지 여부에 따라 결정됩니다. 맥주, 쌀, 비누, 기름과 같이 브랜드에 따라 품질의 차이가 별로 없고 어디에서나 구입할 수 있다면 소비자는 대부분 가격이 저렴한 것을 선택합니다. 이런 제품들은 가격 탄력적입니다. 아마 여기에 반론을 제기하는 사람들이 있을 것입니다. "나는 맥주를 가격으로 고르지 않아"라고 말하는 것입니다. 그 맥주 기업은 가격경쟁을 탈출하여 효과적인 차별화와 브랜딩을 하고 있는 것입니다.

가격 비탄력적 수요는 소비자들이 가격에 민감하지 않은 제품들입니다. 특별한 의료서비스, 럭셔리 가방, 최고급 차는 가격을 올려도 판매량이 비슷하게 유지됩니다. 명품으로 포지셔닝된 제품들은 종종 가격이 높을수록 수요가 늘어나는 현상도 있지만 그렇다고 계속 가격을 올릴 수 있음을 의미하지는 않습니다.

일반적으로 시장점유율을 높이고 싶다면 가격을 낮춥니다. 비교적 가격 비탄력적이라면 가격을 올림으로써 매출과 이익을 동시에 높이는 전략을 쓸 수 있습니다.

요약

제품 수요의 변화가 가격변화에 큰 영향을 받는다면 가격 탄력적입니다. 제품 수요의 변화가 가격 변화의 영향을 적게 받으면 가격 비탄력적입니다. 시장에서 제품에 대한 비탄력적 수요를 창출하면 높은 이익을 낼 수 있습니다. 비탄력성은 경쟁자와 의미 있는 차별성을 만들어 냄으로써 성취할 수 있습니다.

가격결정 모델 7 가지

다양한 산업에서 사용하는 가격결정 모델 7 가지입니다.

1) 프리미엄 가격

프리미엄 가격(Preminum pricing)은 높은 가격에 제품을 판매하는 전략입니다. 프리미엄 가격은 타깃 고객이 가격에 덜 민감하고, 초고품질(High end) 제품인 경우에 주로 사용합니다. 예를 들어 명품 가방처럼 고급 브랜드이거나, 스포츠 컨버터블 차(convertible car)처럼 추가적인 기능과 즐거움을 주는 제품은 소비자들이 기꺼이 더 높은 가격을 지불합니다. 프리미엄 가격전략에 호응하는 소비자는 전체 중 소수입니다. 또는 혁신소비자(innovator) 성향을 가진 사람들이기 때문에 다른 사람들보다 먼저 사용해 보는 것을 원합니다. 프리미엄 가격 전략은 고객들에게 고가격은 고품질이라는 심리적 연상을 일으키기는 효과도 있습니다. 시장에 없는 비교적 새로운 제품이고 경쟁자가 적을 때 유용합니다.

2) 시장침투 가격

시장침투 가격(Penetration pricing)은 스키밍 가격(Skimming pricing)이라고도 불리며 제품 출시 초기에 가격을 낮게 정하는 방법입니다. 새로운 제품을 경쟁적인 시장에 출시할 때 주로 사용합니다. 제조업은 대게 규모의 경제가 존재하고, 제품의 단위 이익이 적더라도 대량 판매를 통하여 총이익은 올라갈 수 있습니다. 따라서 매출과 시장점유율을 높이기 위해 시장침투 가격을 씁니다. 그러나 시장침투 가격이라고 해서 무조건 가장 저렴할 필요는 없습니다. 예를 들어 삼성 스마트폰은 150 만 원대의 고 가격 제품을 주력으로 판매하며, 고객을 늘리기 위해 유사하지만 성능을 약간 떨어뜨리고 100 만 원 이하의 저가형 제품도 동시에 출시합니다.

3) 경쟁자기반 가격

경쟁자기반 가격(Competition-based pricing)은 경쟁자들의 가격을 중심으로 제품의 가격을 정하는 방법입니다. 비슷한 제품이 많고 소비자들이 제품의 차별성보다는 가격 차이에 의해 선택할 때 쓰이는 전략입니다. 이 방법은 조사비용이 적게 듭니다. 경쟁자들이 이미 가격결정을 위한 분석을 하였고 시장에서 소비자들이 적정가격으로 인식하고 있을 가능성이 높습니다. 그러나 비슷한 제품이더라도 기업마다 원가와 마케팅활동에 드는 비용구조가 다르다는 문제점이 있습니다. 중소기업에서는 대기업 제품과 성능차이가 거의 없더라도 브랜드 인지도가 낮기 때문에 대기업제품보다 약간 낮은 가격으로 출시합니다.

4) 가치기반 가격

가치기반 가격(Value-based pricing)은 소비자들이 기업의 제품에 얼마만큼의 가치를 느끼는지 분석하여 정하는 방법입니다. 경쟁자가 적고 제품의 차별성이 클 때 사용합니다. 고객이 인식하는 가치는 직접 물어보고 정할 수 있습니다. 잠재고객에게 제품을 보여주고 화폐단위(원)로 얼마 정도이면 구매하겠는지 질문합니다. 또 다른 방법은 제품의 주요 속성을 분해하여 각각의 가치를 대체품과 비교하여 우위를 정하는 방법입니다. 예를 들어 스마트폰의 경우 카메라, 운영체제(안드로이드 vs iOS), 디자인, A/S, 브랜드로 나누어서 소비자들이 각각의 속성에 얼마만큼의 가치를 인식하는지 점수를 내고 통합하여 가격결정을 합니다.

5) 좋음-더 좋음-최고 가격(Good-Better-Best Pricing)

좋음 - 더 좋음 -최고 가격 은 제품의 가격대를 저가, 중가, 고가로 정하는 방법입니다. 낮은 가격에서는 핵심 기능만 넣고 가격이 비싸질수록 더 다양한 기능을 넣는 방법입니다. 저가격 제품이더라도 품질은 나쁨이 아니라 좋음으로 인식되게 해야 합니다. 남성 정장 브랜드, 항공기 클래스, 전자제품에서 주로 사용됩니다. 가격을 다양화하면 고객층을 넓히는 장점이 있습니다. 그러나 가격대

별로 그 차이점을 고객이 확실히 인식할 수 있어야 합니다. 가격세분화를 너무 여러 계층으로 하면 고객이 그 차이를 인지하지 못할 위험이 있습니다.

6) 프리미엄 가격

프리미엄 가격(Freeminum pricing)은 제품을 공짜로 주고 써보도록 하는 방법입니다. 초기 고객을 확보하거나 브랜드 인지도를 높이기 위해 사용합니다. 이 전략은 소프트웨어 제품에서 자주 쓰입니다. 소프트웨어는 인터넷으로 다운로드할 수 있기 때문에 유통에 별도의 비용이 들어가지 않기 때문입니다. 예를 들어 마이크로소프트는 엑셀, 워드, 파워포인트 같은 제품을 기본 30 일 무료 사용할 수 있게 합니다. 최근에는 줌(Zoom) 이 제품을 무료로 배포하여 큰 성공을 거두었습니다. 무료 기능은 계속 사용하게 하고 추가적인 기능을 원하면 유료로 바뀝니다. 유료 버전은 무료보다 최소 10 배 정도 기능이 많고 사용자가 그 차이점을 뚜렷하게 인지할 수 있어야 합니다.

7) 원가기반 가격

원가기반 가격(Cost-based pricing)은 제품의 생산과 마케팅비용을 모두 포함하여 원가를 충당하고 이익을 낼 수 있는 수준으로 정하는 방법입니다. 원가는 고정원가와 변동원가로 나눕니다. 원가기반 가격에는 크게 4 가지가 있습니다. (1) 최소 얼마만큼을 판매하여야 손실을 면할 수 있는가 분석하여 손익분기점 판매량과 손익분기점 매출액을 결정하는 방법, (2) 미리 결정된 목표이익을 총원가에 더함으로써, 가격을 결정하는 원가가산 방법, (3) 원가를 계산 후 적정이익을 확보할 수 있는 수준의 가산이익률 (markup)을 정하여 가격을 책정하는 방법, (4) 기업이 목표로 하는 투자이익률(ROI)을 달성할 수 있도록 가격을 설정하는 방법이 있습니다.

원가관리는 특히 제조업, 건설공사, 선박 제조 등의 분야에서 이익을 내는데 중요한 요소입니다. 원가 기반 가격은 시장의 수요와 고객이 인식하는 제품의 가치를 반영하지 못하는 단점이 있습니다.

요약

가격결정은 산업, 원가, 고객 심리, 경쟁자, 경제환경을 두루 분석해야하는 과업입니다. 가격탄력성은 가격이 변함에 따라 수요가 얼마나 변하는지를 나타내는 지표입니다. 적절한 가격을 찾는 기법으로는 기존 매출 데이터 분석, 서베이법(설문조사), 실험, 컨조인트(통계 기법)가 있습니다. (서베이법과 컨조인트 참고 도서:- 마케팅조사 제 7 판 이학식저)

가격전략 예시:- 테슬라

모델 3의 가격을 계속 올리다가 10% 떨어뜨린 건 어떤 의도였을까요? 자동차는 기술집약적 산업이며 거대 자본이 필요하기 때문에 신생기업이 진출하는데 높은 진입장벽이 있습니다. 테슬라는 전기차를 생산하며 미래 지향적이며, 친환경적이고, 선진 기술회사로 이미지를 만들었습니다. 그리고 포르셰를 구입할 수 있을 정도의 경제적 여유를 가진 사람들을 표적 고객으로 하였습니다.

테슬라는 럭셔리를 추구하며 프리미엄 가격전략을 썼습니다. 1) 자동차는 다른 사람들이 제품 사용을 쉽게 관찰할 수 있기 때문에 자신의 부와 지위를 과시하고자 하는 사람들이 고급차를 삽니다. 2) 친환경이 사회적 이슈로 떠오르며 전기차는 온실가스를 배출하지 않기 때문에 환경을 생각하는 착한 소비자 이미지도 있고 정부보조금도 받을 수 있었습니다. 3) 자율주행 기술을 부각하기 때문에 혁신소비자들을 유인할 수 있습니다. 신제품을 쓰는 혁신소비자는 가격에 덜 민감하고, 제품의 품질이 나소 떨어지더라도 더 너그러운 경향이 있습니다.

테슬라는 전기차를 전문으로 생산하며, 기존의 자동차회사들과 차별화하였기 때문에 프리미엄 가격을 쓸 수 있었습니다. 초기 프리미엄 가격은 이익을 높여 연구개발비와 생산설비투자 비용을 빠르게 회수할 수 있는 장점이 있습니다. 그러나 프리미엄 가격은 소비층이 적기 때문에 성장에 한계가 있습니다. 또한 기존의 거대 자동차회사들이 전기차 시장에 뛰어들며 전기차 시장의 경쟁이 심해지며 테슬라의 차별성이 약화되었습니다. 모델 3 의 가격을 10% 낮춤으로써 시장 확대를 시도하고 있는 것으로 보입니다. 자동차 단위이익은 떨어지지만 수요자는 더 많아져서 총이익이 늘어날 수 있습니다. 다시 말해 혁신소비자를 넘어 다수 사용자층으로 시장을 넓히는 전략입니다.

MP3 플레이어, USB 저장장치 (USB flash drive), HD TV 와 같은 제품도 출시 초기 프리미엄 가격이었습니다. 그러나 경쟁자들이 출현하면서 가격을 크게 낮추었습니다. 테슬라는 모델 3 가격을 낮추어 사용자를 넓힐 수 있을지 모르지만 위험도 있습니다. 첫째는 럭셔리 브랜드 이미지가 훼손당할 수 있고 둘째는 가격인하가 기존 소비자들을 분노하게 만들며 고객충성도를 떨어뜨리고 장기적으로 재구매율이 낮아질 염려가 있습니다. 보통 자동차 회사들은 현대 & 제네시스, 도요타 & 렉서스, 폭스바겐 & 벤틀리, 람보르기니와 같이 별도의 브랜드를 개발합니다. 고객을 늘리기 위해 저가격 차를 판매한다면 분리된 새로운 브랜드를 개발하기를 고려해 볼 수 있습니다.

6. 커뮤니케이션

마케팅 커뮤니케이션은 당신의 제품, 서비스, 아이디어를 고객에게 전달하는 기능을 말합니다. 커뮤니케이션은 신규 고객을 발굴하고 고객과 관계를 발전시킵니다. 당신의 마케팅 노력은 커뮤니케이션을 통하여 다양한 이해당사자를 통합시킬 수 있습니다.

어려운 마케팅 커뮤니케이션

어떤 사업주들은 제품이 좋으면 저절로 잘 팔릴 것이라고 생각합니다. 과거 물건이 적고 경쟁이 적을 때는 품질 좋은 제품이 살 팔렸습니다. 그러나 현대에는 품질이 좋다고 해서 저절로 잘 팔리는 경우는 거의 없습니다. 고객과의 적극적인 커뮤니케이션이 필요합니다. 마케팅 커뮤니케이션 활동에는 광고, 판매촉진, PR, 영업, 직접마케팅이 있습니다. 앞서가는 기업들은 개개의 커뮤니케이션 노력이 분산되지 않고 통합적으로 조화를 이룰 수 있도록 통합적 마케팅 커뮤니케이션(IMC)의 개념을 사용하며 촉진전략을 수행하고 있습니다. 소규모 사업주 역시 커뮤니케이션 노력이 분산되지 않도록 일관성 있는 활동을 해야 합니다.

마케팅 커뮤니케이션 7 단계

마케팅 커뮤니케이션은 7 단계 질문에 세심하게 답변하며 계획합니다. 첫째, 누구와 소통할 것인지 정합니다. 모든 사람이 고객이 될 수 없는 것처럼 청중도 선택해야 합니다. 둘째, 어떤 메시지 (아이디어)를 전달할지 정합니다. 셋째, 커뮤니케이션으로 무엇을 성취할지 정합니다. 나의 브랜드나 제품에 대하여 청중이 인지, 정보획득, 관심, 시험사용 중 어떤 반응을 원하는지 정합니다. 넷째, 어떤 방식으로 말할지 결정합니다. 창의성이 필요한 단계입니다. 다섯째, 매체 선택입니다. 타겟 청중이 주로 사용하는 매체를 선택합니다. 여섯째, 얼마를 소비하면 좋을지 결정합니다. 마지막은 커뮤니케이션 노력의 효과를 측정하기 입니다.

맨 처음 누구와 소통할 것인지 결정하는 것은 다시 한번 시장세분화를 활용합니다. (시장 세분화 12 쪽 참조) 전달하는 핵심 메시지 또는 가치제안은 포지셔닝 전략에 따라야 합니다. (포지셔닝 20 쪽 참조)

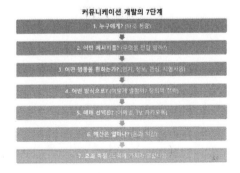

이 프레임으로 단계를 밟아가며 고객의 반응을 고민하며 설계합니다. 그러나 안타깝게도

청중(표적 고객)은 당신이 의도한 대로 메시지를 받아들이지 못할 가능성이 높습니다. 커뮤니케이션은 청중의 주의를 끌 수 있으면서도 설득력이 있도록 메시지를 설계해야 하는 도전적인 과업입니다.

메시지 전달이 실패하는 이유 세 가지

메시지 전달이 실패하는 주요 이유 세 가지입니다.

첫째, 청중은 선택적으로 주의를 기울입니다. 한 사람이 모든 자극을 다 감지하기는 불가능합니다. 한 통계에 따르면 사람들은 하루에 4,000~10,000 개의 광고에 노출됩니다. 사람들은 대부분의 메시지에 주의를 기울이지 않습니다. 둘째, 청중은 자신이 듣고 싶은 것만 듣는 경향이 있습니다. 새로운 메시지를 들었을 때 자신의 과거 경험을 바탕으로 해석하고, 듣는 순간의 감정에 따라 달리 해석합니다. 또한 메시지를 전달하는 사람이나 브랜드에 대한 기대감(긍정 또는 부정)이 메시지를 얼마나 받아들일지에 영향을 미칩니다. 같은 메시지이더라도 듣는 사람마다 자의적으로 메시지를 변형하여 받아들입니다. 셋째, 메시지를 받아들일 때 변형했던 것처럼 기억을 끄집어낼 때도 선택적으로 합니다. 필요할 때 일부의 정보만 기억해 낼 수 있습니다.

메시지를 효율적으로 전달하기 위해서는 청중의 상황을 이해하려는 노력이 중요하며, 언어이외에 시각적 청각적 보조 자료를 적절히 활용할 수 있어야 합니다.

인공지능에 의한 커뮤니케이션

인터넷 사업의 중심에 있는 페이스북의 비즈니스 모델은 그 본질이 언론매체(media)입니다. 사람들은 페이스북에서 뉴스를 보며 정보를 얻고, 재미를 얻고, 자신의 의견을 분출합니다. 2023년 전 세계 약 29억 명이 페이스북을 사용하고 있습니다. 인스타그램 사용자를 제외하더라도 사실상 가장 큰 언론매체입니다. 주수익은 광고입니다. 페이스북은 오래전부터 사람들이 페이스북에서 더 많은 시간을 보내도록 만드는데 공을 들였습니다. 사람들이 오래 머무를수록 광고 수익이 올라가기 때문입니다. 페이스북은 사용자가 페이스북에서 어떤 기사를 읽고 좋아요를 누르는지 여부를 전부 추적하여서, 각 사용자가 어떤 성향을 가졌는지 빅데이터 분석을 하고 있습니다. 사용자가 남자인지 여자인지 또는 어디 사는지와 같은 인구통계적인 정보는 기본이고 정치성향, 성적선호와 같은 민감한 정보까지 높은 정확도로 추론해 냅니다. 이 데이터 수집 분석 기법으로 맞춤형 광고를 합니다. 내가 무엇을 좋아하고 관심 있는지 알고 있기 때문에 광고 효과는 높습니다. 그러나 이 기술은 페이스북의 창업자이자 경영자인 마크 저커버그를 위험에 빠뜨리기도 했습니다. 정확한 타깃 광고가 선거 개입에 활용됐다는 의혹 때문이었습니다. 마크 저커버그는 2017 년 의회에 출석해 해명해야 했고, 곧이어 개인정보 데이터유출로 더 큰 타격을 받았습니다. (메타 페이스북, 스티븐 레비 지음 참조) 국내에서도 네이버와 다음이 비슷한 알고리즘으로 사용자에게 같은 종류에 언론사와 뉴스를 지속적으로 노출하였습니다. 이로 인해 사람들의 정치편향이 심해지고 가짜뉴스가 확산된다는 우려가 사회적 이슈가 되었습니다. 나의 생각과 선호가 알고리즘에 의해 지배받는다는 사실에 언짢아지지 않을 수 없습니다. 그럼에도 불구하고, 마케터라면 사람들이 듣고 싶은 걸 들려주며 커뮤니케이션 목적을 달성하고 싶을 것입니다. 디지털 경제로 전환되며 소기업도 웹페이지나 SNS 를 사용하여 온라인에서 존재를 형성하고 고객과 커뮤니케이션해야 경쟁에 뒤처지지 않을 것입니다.

일관성, 일관성, 일관성

많은 고민을 하여 작성한 이메일을 보내고, 광고를 만들고, SNS 로 소통을 시도해도 사람들의 주의를 끌기는 점점 더 어려워지고 있습니다. 청중의 반응이 없으면 마케터는 낙담하기 쉽습니다.

마케팅 커뮤니케이션의 기본 원칙은 일관성, 일관성, 그리고 일관성입니다. 일관성은 언어로 하든, 데이터 기반의 숫자로 하든 통합된 하나의 메시지를 전달하는 것을 말합니다. 심지어는 브랜드를 대표하는 하나의 색깔을 사용하여야 합니다.

일관성은 청중이 브랜드를 알아차리고, 메시지를 이해하고, 충성심을 갖도록 만듭니다. 기업은 올바른 정보를 올바른 기법으로 전달하여 정보의 흐름에 일관성을 갖추도록 해야 합니다. 광고학 이론에 따르면, 고객이 행동을 시작하기 위해서는 같은 메시지를 최소 7번 반복해서 들어야 한다고 말합니다.

브랜드를 구축하는데도 일관성이 핵심 요소입니다.

> 2018년 4월 미국 필라델피아의 스타벅스 매장에 두 남성이 친구를 만나기 위해 들어왔습니다. 그들은 친구를 기다리기 위해 테이블에 앉았고 주문을 하지 않았습니다. 화장실을 사용할 수 있냐고 점원에게 물었습니다. 점원은 음료를 구입하지 않으면 화장실을 사용할 수 없다며 나가 달라고 요청했고, 분쟁 끝에 경찰을 불렀습니다. 이 사건은 뉴스화되고 SNS에서 스타벅스 보이콧이 트렌드가 되었습니다. 스타벅스의 미션은 커피를 파는 것 이상이며 <인간애에 기반해 우리의 행동을 주도해 나간다.>라고 메시지를 전달해 왔습니다. 스타벅스는 미국이 허리케인으로 재난상황일 때

> 구호활동을 하고, 전역 군인들을 적극 채용하며
> 사회적 책임을 다하는 기업이라는 이미지를
> 구축하는데 힘썼습니다. 기업과 고객 간, 기업과
> 직원 간, 직원과 고객 간 메시지가 불일치함으로써
> 브랜드 평판에 손실을 입었습니다.

기업이 보내는 메시지와 어긋나는 메시지는 브랜드의
신뢰를 떨어뜨립니다. 많은 기업들이 일관성 있는
커뮤니케이션이 사업의 성공과 생존의 토대라고
인정하고 있습니다.

요약

커뮤니케이션의 7 단계는 청중을 정하고, 메시지를
정하고, 청중으로부터 어떤 반응을 얻을지 결정하고,
소통 방식을 선택하고, 매체를 선택하고, 예산을
정하고, 효과를 측정하는 것입니다. 고객의 주의를
끌기는 점점 더 어려워지고 있습니다. 한 번에
소통으로 메시지가 청중에게 올바르게 전달되기는
어렵습니다. 통합된 커뮤니케이션 전략 아래
일관성은 마케터의 화살통에 남은 중요한 화살입니다.

이메일 마케팅 원칙

통계에 따르면 한국인 67.9%가 이메일을 사용하고 있습니다. 이메일 마케팅은 생각보다 효과가 좋습니다. 구글은 이메일 마케팅의 투자수익률 (ROI)이 420%라고 합니다. 1만 원을 소비하면 평균 42만 원에 이익이 발생함을 의미합니다. 이메일은 정보를 알리고, 구매를 유도하고, 브랜드를 구축하는 데 사용됩니다. 신규 고객, 잠재고객, 기존 고객에게 프로모션, 제품, 스토리를 전하는데 유용합니다.

성공적인 이메일 캠페인의 원칙

이메일 마케팅의 최종 목적은 사업 목표나 마케팅 목표를 달성하는 것입니다. 그러기 위해서는 우선 고객이 이메일을 열고, 읽어야 합니다. 성공적인 이메일 마케팅을 하기 위한 첫번째 원칙은 정직함 입니다. 정직함이란 전략적이되 고객에게는 긍정적인 가치가 발생해야 하는 것을 말합니다.

1. 정직한 단어를 쓰라.

이메일을 보낼 때 진실해 보이는 언어를 사용해야 합니다. 스팸(spam)처럼 보이는 특정한 단어나 문구는 피해야 합니다. 유튜브, 이메일, SNS 에는 자극적인 말로 일단 사람들이 클릭하게 만드는 것이 많습니다. 가짜가 넘치기 때문에 사람들은 먼저 의심부터 합니다. 이메일은 인공지능(머신러닝)이 초기부터 적용된 분야로써 상대방이 이메일을 보기도 전에 스팸메일을 자동 분류합니다. 따라서 비윤리적인 언어를 사용하면 상대방에게 도달하지 않습니다. 설령 상대방이 이메일을 열었더라도 기대와 다른 내용이 있으면 차단하는 행동을 합니다. 과장하고, 비윤리적이고, 절망적이고, 교묘한 조작을 시도하면 당신의 브랜드는 신뢰를 잃습니다.

2. 과장하지 말아라.

상대방은 당신을 믿을 수 있는 브랜드로 생각해야 합니다. 브랜드가 추구하는 가치를 진실한 언어로 전달해야 합니다. 예를 들어 할인 행사를 알리려고 한다면 "10% 할인"이라고 쓰는 것이 "긴급: 한정수량, 특가판매" 보다 낫습니다.

구글은 다음과 같은 말을 쓰지 말라고 조언합니다.

• 하지 말아야 할 말:- 지금 당장! / 지금 주문 / 긴급 / 독점 / 얼마 안 남았습니다 / 중요한 정보...

사람들이 많이 사용하는 이메일 서비스 기업들은 머신러닝을 이용하여 스팸메일을 자동으로 분류합니다. 그 알고리즘은 계속 변하기 때문에 정확하게 맞출 수 없습니다. 그러나 이와 같이 시간적 긴박함을 조장하는 경우 스팸메일로 분류될 가능성이 높습니다.

3. 당신이 진짜로 제공하는 것만 말하라.

만약 특정 고객에게 50%를 할인한다면 그렇게
씁니다. 그러나 지나치게 강조하거나 굵은 글씨체는
쓰지 않는 것이 좋습니다. 사람들은 스팸 메일에 매우
민감합니다. 속았다는 생각이 들게 해서는 안됩니다.

다음과 같은 말은 쓰지 않는 것이 좋습니다.

• 하지 말아야 할 말:- 가장 저렴한/ 누구나 공짜/ 비용
없음

예를 들어 웹사이트에서 '지금 신청하면 누구나
아이패드 증정'과 같은 광고를 보았을 것입니다.
클릭해서 들어가 보면 받지 못합니다. 운이 나쁜 것이
아니라 아이패드를 받는 조건은 매우 까다로워
극소수만 받거나, 아무도 받지 못하는 허위광고
였음이 드러났습니다. 이런 경험으로 사람들은
과장된 말들을 스팸이라고 판단합니다.

4. 가치를 더하는 언어를 사용하라.

가치를 더하는 언어를 사용해야 상대방이 이메일을
열어볼 이유가 생깁니다. 상대방은 보내는 사람이
이메일을 열어 보라고 구걸하고 있다고 느끼고 싶지
않습니다. "꼭 읽어주세요"는 피합니다. 대신에
"아마도 이것에 관심 있을 거라고 생각합니다.",
"고객님을 위하여 이것을 만들었습니다."와 같이

씁니다. 보낸 사람이 받는 사람을 생각하며 준비했고, 아마도 그것을 좋아할 수 있을 거라고 상기시켜야 합니다.

· 하지 말아야 할 말: - 제발 읽어주세요 / 당신의 도움이 필요합니다 / 당신은 이것이 필요합니다

요약

비즈니스 목적으로 여러사람에게 이메일을 보내면 스팸으로 분류되어 상대방에게 도달하지 않는 경우가 흔합니다. 인공지능이 스팸으로 분류하기 때문입니다. 내가 제공하는 것을 진실하게 전달해야 합니다. 상대방에게 어떤 가치를 제공하는지 알립니다. 확신이 없다면 시험해 봅니다. 메일을 보내고 응답률 데이터를 분석해 봄으로써 최적화된 이메일을 쓸 수 있습니다.

이메일 마케팅 글쓰기 원칙

글을 쓰고 독자를 찾는 일은 언제나 어려운 일입니다. 서점에서 대형 베스트셀러라고 하는 책도 전 국민에 1% 정도가 독자입니다. 예를 들어 유발하라리에 '사피엔스'는 꾸준한 베스트셀러로 현재까지 국내에서 70 만 부 정도 팔린 것으로 추정됩니다. 5,000 만 인구 중 1.4%가 구매했다고 볼 수 있습니다.

이메일 마케팅을 위한 글쓰기는 많은 연습과 인내가 필요합니다. 완벽한 이메일은 존재하지 않지만 목표를 달성할 수 있는 방법을 익혀야 합니다.

다음은 구글이 제시하는 이메일 쓰기 원칙입니다. 구글은 최대 이메일 사용자를 확보하고 있는 기업이고, 인공지능으로 스팸메일을 정확히 분류해 내고 있기 때문에 좋은 가이드라인을 제공합니다.

이메일을 클릭하게 만들어라.

이메일 마케팅의 첫째 목표는 상대방이 당신의 이메일 링크를 클릭하고, 열고, 읽도록 확신을 주는 것입니다. 모든 이메일은 어떠한 방식으로든 가치를 담고 있어야 상대방이 참여합니다. 새로운 제품이나 서비스를 소개하던지, 재미를 주던지, 새로운 정보를 알려주어야 합니다. 이메일에 요소들은 의미 있어야

하고 상대방의 시간과 주의력을 낭비시키지 않도록
합니다.

제목

받는 사람은 편지함을 열었을 때 보낸 사람을 가장
먼저 확인하고 그다음은 제목을 읽습니다. 제목은
이메일의 첫인상을 결정하기 때문에 매력적이어야
합니다.

이메일 제목은 다음과 같아야 합니다:

· 간결하게 써라:- 제목은 총 6~10 단어이어야
합니다. 만약 너무 길면 잘려서 다 보지 못합니다.

· 호기심을 자극하라:- 읽는 사람이 이메일의 내용을
궁금하도록 써야 합니다. "이 물건을 장바구니에
남겨두기에 아깝습니다"라는 메일을 받아 본 적 있을
것입니다. 쇼핑몰에서 관심 있는 상품을 장바구니에
넣어두었다가 구매를 망설이거나 잊어버렸을 때 이런
이메일을 보냅니다. 이런 이메일은 읽어볼 가능성이
높습니다.

· 무언가를 제안한다면 명확하게 하라:- 새로운 정보,
할인 행사, 경험 무엇이든 간에 받는 사람은 이메일을
열어 볼 이익을 알 수 있어야 합니다.

· 개인화를 고려하라:- 이메일 마케팅 툴을 사용한다면
상대방의 이름을 사용하여 개인화 할 수 있을

것입니다. 이름을 언급하는 것은 받는 사람이 자신과 관련이 있다고 느낄 수 있는 훌륭한 방법입니다. 메일을 보내는 사람의 수가 적고 중요하다면, 이름 이외에 더 개인적이고 핵심적인 내용을 제목으로 쓸 수 있습니다. 이 방법은 이메일 뿐 아니라 온라인 쇼핑몰에 들어가거나, 홍보 문자를 보낼 때도 널리 사용되고 있습니다.

미리 보기

미리 보기는 이메일 마케팅에서 중요한 요소입니다. 미리 보기는 제목 옆에 짧게 표시되어 내용을 미리 엿볼 수 있습니다. 이메일을 클릭해서 열어보면 정확히 같은 내용이 있습니다. (구글은 미리 보기를 제공하지만 네이버는 제공하지 않습니다.)

미리 보기는 다음과 같아야 합니다:

· 가장 중요한 정보를 포함하라:- 소통하려는 목적이 무엇인가요? 그 답이 미리 보기에 보여야 합니다.

· 제목과 일관성을 지켜라:- 제목과 미리 보기는 함께 보이기 때문에 받는 사람이 이메일에 관심을 가지도록 만들어야 합니다.

· 미스터리를 원한다면:- 미리 보기에 "이 레시피를 알고 있으면 아이들이...."이렇게 표시된다면 받는 사람의 호기심을 자극할 것입니다. 그러나 읽어보았을

때 다른 내용을 써서 독자가 속았다는 느낌이 들게
해서는 안됩니다. 구글 메일에서는 35~50 자 정도의
문자가 보입니다. 한눈에 볼 수 있어야 합니다.

<u>본문</u>

이메일의 본문은 시험을 해봐야 합니다. 하나의
형식으로 모두에게 똑같이 보내면 목적을 달성하기
어렵습니다.

본문 쓰기:

· 2 인칭을 사용하라:- 이메일을 읽는 사람이
자신에게 직접 보낸 것처럼 느끼도록 쓰는 것을
의미합니다. 단체 메일이더라도 1:1 로 대화하는
것처럼 씁니다. 2 인칭(고객, 당신, ~님) 일 때 읽는
사람이 자신과의 관련성을 더 느낍니다. '독자들을
위한 할인을 제공합니다'보다 '당신을 위한 할인을
제공합니다'라고 쓰는 것이 낫습니다.
· 문단을 분리하라:- 받는 사람이 글을 다 읽지 않을
것이라고 가정해야 합니다. 포인트별로 문단을
분리하고 중요한것부터 간결하게 써야 합니다.
· 행동을 제안해라:- 분명하게 요청한다면 읽는
사람이 응답할 가능성이 높습니다. 읽는 사람이
물건을 구매하길 원한다면 구매를 요청해야 합니다.

요약

매력적인 콘텐츠를 쓰는 것은 이메일 마케팅에서 중요한 요소입니다. 제목, 미리 보기, 본문을 주의 깊게 써야 합니다. 구글에서 제공하는 이메일 마케팅 글쓰기의 가이드라인을 따른다면 받은 사람이 이메일을 열어볼 확률이 올라갑니다. 이메일의 요소들을 바꿔서 시험하고 데이터를 모아 효과를 분석하는 과정을 거쳐야 합니다.

이메일 마케팅 빈도 결정

이메일 마케팅(문자, 카카오톡 포함)은 한번에 여러 사람과 소통할 수 있는 방법입니다. 거의 무료로 여러 번 보낼 수 있기 때문에 마케팅 비용이 비교적 적게 들어갑니다. 그러나 이메일 마케팅이 흔해지면서 받는 사람이 주의를 기울여 메시지를 읽는 경우는 점점 더 줄어들고 있습니다. 얼마나 자주 메시지를 보낼지 신중히 결정해야 합니다.

구독자에게 이메일을 너무 자주 보내는 것은 사업의 궁핍함을 반영할 수 있습니다. 구독자들은 얼마나 자주 이메일 받기를 원할까요? 다음은 구글이 제시하는 적절한 이메일 빈도를 정리한 것입니다.

얼마나 자주 보내야 하나?

구글에 따르면 2021 년 매일 평균적으로 3200 억 개의 메일이 전송되었습니다. 이메일 사용량은 늘어나고 있습니다. 구독자들이 부담감을 느끼거나 이메일 폭탄을 받았다고 느끼지 않도록 해야 합니다. 만약 누군가 이메일을 매일 보낸다면 구독자는 그 이메일 발신자를 차단할 가능성이 높습니다.

이메일에 빈도를 결정할 때 다음 질문들에 답해 보아야 합니다.

- 이메일 구독자 수가 얼마나 많은가? :- 다음에 기준을 적용해 보세요. 500명 이하이면 한 달에 한번, 500~10,000명은 일주일에 한 번, 10,000명 이상은 이주일에 한번 보냅니다.

- 이메일을 보내는 목적은? :- 받는 사람에게 무엇인가를 알리고 싶다면 오직 한 번만 보내는 것이 좋습니다. 예를 들어 신제품 출시를 알리고 싶다면 한 번만 보냅니다.

- 어떤 종류에 이메일인가? :- 예를 들어 뉴스레터는 판매촉진(예:할인행사) 이메일 보다 더 자주 보낼 수 있습니다.

- 이메일의 내용은? :- 동일한 내용이라면 한 번만 보내는 것이 좋습니다. 만약 할인행사에 대해 알리고 싶다면 시작할 때 한번 보내고 끝나기 전에 한번 보낼 수 있습니다.

받는 사람에게 물어보라.

이메일 주소를 수집하는 방법에 따라 구독자로부터 직접 의견을 들을 수 있습니다. 예를 들어 웹사이트에서 회원등록을 할 때 이메일 수신여부를 빠르게 물어볼 수 있습니다. 또는 신규 회원에게 환영 이메일을 보내면서 이메일 수신 동의를 받습니다. 구독 취소를 누르면 적은 빈도로 이메일을 받아

보겠냐고 물어보기를 할 수 있습니다. 빈도에 대한 선택권을 주면 구독자를 덜 잃습니다. 사람들은 자신이 허락하지 않은 이메일이나 문자를 받으면 부정적 감정을 일으킵니다. 수신받을지 여부를 물으면 받는 사람이 메시지를 더 긍정적으로 받아들입니다.

이메일 빈도 사례

호텔의 이메일 마케팅:- 필자는 5년 전쯤 방콕에 있는 한 호텔에 머물렀습니다. 쾌적한 시설과 친절한 직원들이 인상에 남는 호텔이었습니다. 체크인할 때 쓴 이메일로 꾸준한 홍보 이메일을 받고 있습니다. 호텔이 보내는 이메일 빈도는 한 달에 한 번입니다. 만약 한 달에 여러 번 이메일을 받았다면 차단했을 것이지만 한 달에 한번은 방해받는 느낌이 들지 않습니다. 가끔 받는 이 이메일은 여행에 대한 좋은 기억을 상기시킵니다. 여행 가고 싶단 생각이 들고 다시 방콕에 간다면 이 호텔을 우선 고려할 것입니다.

요약

이메일을 너무 자주 보내서 받는 사람이 부담을 느끼게 해서는 안됩니다. 받는 사람은 이메일을 열어보지 않을 것이고 적극적으로 차단할 것

있습니다. 이메일을 보내기 전에 구독자 수를 확인하고, 어떤 이메일이고, 내용이 무엇인지에 따라 빈도를 결정합니다. 이메일을 보내는 원칙은 문자 메시지나 카카오톡 메시지 보내기에도 적용할 수 있습니다.

올바른 문제와 올바른 질문

사업을 하는 것은 문제를 해결하는 것입니다. 먼저 고객이 가진 문제를 나의 제품이나 서비스로 해결할 수 있어야 합니다. 사업의 운영도 문제 해결의 연속입니다. 문제를 잘 해결하고 있다면 사업이 잘 되고 있는 것입니다. 어떻게 문제에 답을 찾을 수 있을까요?

위대한 통계학자인 존 투키는 이렇게 말했습니다.

> 잘못된 문제에 정확한 답을 찾는 것보다 올바른 문제에 대략적인 답을 찾는 것이 훨씬 낫다.

투키는 통계가 수학적 공식화에 지나치게 의존하는 것을 경계하고 실제 문제 해결에 사용되어야 한다고 본 것입니다. 요즘은 무엇이든 빅데이터 기반입니다. 빅데이터는 통계를 기반으로 컴퓨터를 이용하여 데이터를 가공, 탐색, 해석, 시각화하는 일련의 과정입니다. 빅데이터의 기술을 얼마나 잘 아는가에 몰입하면 안 되고, 그것을 이용하여 실제 문제의 답을 찾아야 쓸모가 있습니다.

사업주도 문제를 올바르게 정의해야 올바른 답을 찾을 수 있습니다. 올바른 문제를 찾아냄으로써 혁신적인 아이디어를 발견할 수 있습니다. 얼마나 많은 정보를 가지고 있던 어떤 툴을 이용하던 문제를 잘못 정의하면 올바른 답을 찾을 수 없습니다. 마치 형사가 많은 증거를 갖고 있지만 엉뚱한 용의자를 수색하는 것과 비슷합니다.

문제와 현상은 다르다.

문제를 정의할 때 유의해야 할 점은 문제를 현상과 혼동해서는 안된다는 것입니다. 현상은 겉으로 드러나 관찰가능한 것입니다. 문제는 그 현상의 원인이 되는 것입니다. 예를 들어 지난 세 달 동안 매출이 크게 줄었다면 그것은 현상입니다. 원인은 마케팅 변수들(예: 가격인상, 잘못된 광고) 또는 외부요인(예: 금융위기, 경쟁자 진입)의 변화가 문제일 수 있습니다. 원인을 찾아서 문제로 정의해야 합니다.

문제를 찾기 위해서는 질문하라.

문제가 무엇인지 찾는 가장 간단한 방법은 질문하기 입니다. 스마트(SMART)한 질문을 해야 합니다.

Specitific(구체성) :- 특정한 것에 집중해서 묻는
질문인가?

Measurable(측정가능성) :- 측정할 수 있는 응답이
가능한가?

Action-oriented(실행가능성) :- 실행가능한 계획을
세울 수 있는 응답이 가능한가?

Relevant(연관성) :- 해결하는 특정 문제와
연관되어 있는 질문인가?

Time-bound(시간 기한성) :- 구체적 시간 범위를
한정한 질문인가?

고객에게 질문하라

문제에 답은 항상 고객에게 있습니다. 설문조사를
이용하면 여러명의 고객에게 물을 수 있고, 인터뷰를
사용하여 소수의 고객에게 심도 깊은 질문을 할 수
있씁니다. 문제가 무엇인지 거의 아는 것이 없다면
문제를 찾기 위하여 질문을 할 수 있고, 문제를

정의하였다면 답을 찾기 위해 질문할 수 있습니다. 실수하지 말아야 할 것들입니다.

- 특정한 응답을 요구하는 질문을 하지 않습니다.

- 닫힌 질문을 하지 않습니다. 대답을 예/아니오로 할 수 있는 질문을 말합니다.

- 애매모호하고 맥락이 없는 질문을 하지 않습니다.

일반적으로 열린 질문(open-ended)이 좋습니다. 열린질문으로 창의적인 응답을 얻을 수 있습니다. 답이 예/아니오로 한정된 질문하면 정보를 많이 얻기 힘듭니다. 그러나 열린 질문은 응답자가 즉각적으로 대답하기 어려운 단점이 있습니다. 설문조사에서는 열린질문 대신 객관식 질문을 정교하게 설계하여 응답률을 높일 수 있습니다. 문제의 범위를 좁히고 하나하나 구체적으로 질문해 보아야 합니다.

요약

사업은 문제 해결의 연속입니다. 문제를 해결하기 위해서는 먼저 올바른 문제를 정의해야 합니다. 문제를 잘 정의해야 올바른 데이터를 모으고, 올바른 분석 기법을 적용하여 해결할 수 있는 답을 찾을 수 있습니다. 질문은 스마트(SMART)해야 합니다. 설문조사와 인터뷰는 고객으로부터 데이터를 얻어 분석함으로써 문제 또는 답을 찾는 효과적인 수단입니다.

2부 소기업 마케팅 모델

(헷갈리지 말고 모델을 따라하라)

소기업 마케팅은 다르다.

비행기 조종사가 아무 계획 없이 비행기를 이륙시키면 어떻게 될까요? 연료만 낭비하고 원하지 않는 곳에 착륙하게 될 겁니다. 사업주는 매일 문제에 부딪히고 결정을 내려야 합니다. 의사결정은 미래를 대비하는 계획이 필수입니다. 고객을 발굴하기 위한 구체적인 계획을 세워야 하고, 성장하기 위한 장기적인 계획이 필요합니다.

아이젠하워는 2차 세계 대전 중 유럽 연합군 사령관이었고, 후에 미국의 34대 대통령이 되었습니다. 그는 나치로부터 유럽을 재탈환하기 위한 책임을 지고 노르망디 상륙작전 전투를 감독하며 다음과 같은 말을 남겼습니다. <전투를 위한 준비에서 계획은 쓸모없다. 그러나 계획은 모든 것이다.> 모든 전문가는 계획을 갖고 행동합니다. 사업주는 이익을 내는 사업을 위해 마케팅 계획을 세워야 합니다.

영업과 마케팅은 무엇이 다른가?

사람들은 대게 <영업은 파는 것이고, 마케팅은 홍보나 광고 같은 거다.>라고 생각합니다. 모든 사업은 팔아야 하기 때문에 영업의 필요성은 쉽게 이해 하지만, 마케팅은 막연하고 개념적인것으 로 생각 합니다. 그러나 마케팅은 그렇게 애매 모호한 개념이 아닙니다.

영업

영업은 제품이나 서비스를 소비자나 기업에 파는데 필요한 모든 행동을 말합니다. 업사원은 가망고객을 발굴합니다. 가망고객 중 제품이나 서비스에 관심이 있는 고객을 잠재고객을 판별합니다. 잠재고객을 대상으로 구매 설득을 기울입니다. 영업은 고객의 관계에 따라 세 단계로 구분합니다.

가망고객(prospects):- 가망고객은 당신의 제품이나 서비스를 필요로 하는 사람들입니다. 그러나 아직 당신의 존재조차 알지 못할 수 있습니다.
잠재고객(leads):- 가망고객과 소통하여 당신의 제품이나 서비스를 알립니다. 가망고객이 제품에 관심이 있고, 구매할 예산이 있고, 구매 결정을 내릴

수 있는 요건을 다 갖췄다면 잠재고객

입니다. 잠재고객은 판매를 위해 설득하는 대상이

되는 사람들입니다.

구매고객(customer):- 잠재고객이 당신에게 이미

지불하였다면 비로소 구매고객이 됩니다. 재구매를

하도록 사후관리의 대상이 되는 사람들입니다.

영업사원은 어떻게 가망고객을 발굴할 수 수

있을까요? 마케팅 노력이 가망고객을 발굴하고,

가망고객을 잠재고객으로 전환하는 좋은

방법입니다.

마케팅

새롭게 시작하는 요가원 사업을 예시로 마케팅

용어를 정리하겠습니다.

시장조사:- 기존에 나온 보고서와 온라인 조사를

통하여 요가원의 주된 회원은 20~30 대 직장인임을

발견하였습니다. 조사자료를 토대로 20~30 여성을

표적 고객을 정합니다. 입지는 시청 통계자료와

상권분석 시스템을 통하여 20~30 대 여성 직장인이

가장 많이 이동하는 지역에 장소를 선정합니다.

자료를 직접 수집하거나 이미 만들어진 자료를
수집하고 분석하는 활동이 시장조사(market
research)입니다. 시장조사는 통계지식과 전문적인
조사능력이 필요하며 매우 중요한 마케팅
활동입니다.

브랜드:- '요가인'이라고 이름을 짓고 로고를
만들었습니다. '바쁜 직장인 여성들이 스스로
돌보고, 건강하고, 행복해질 수 있도록 요가인이
도와드립니다'라는 구호를 만들었습니다. 20~30 대
직장인 여성이 요가하려면 '요가인'으로 가야 하는
생각을 떠올리게 만드는 모든 활동이
브랜딩(branding)입니다.

광고:- 이름, 로고, 구호를 넣은 큰 간판을 제작하여
내걸었다면 광고(advertising)입니다.

판촉활동:- 기존 회원이 친구를 추천하여
신규등록하면, 두 사람에게 각각 3 만 원 짜리
요가매트를 선물로 증정하는 이벤트를 벌였다면
판촉활동(promotion)입니다.

PR:- 요가원이 여성들에게 큰 호응을 얻고 화제를
얻고 있음을 알게 된 지역신문 기자가 '요가인'에
대해 기사를 썼다면 PR(public pelations)입니다.

이메일 마케팅:- 요가에 관심 있는 사람들에
이메일주소를 얻고, 정기적으로 요가에 대한 칼럼과
할인행사를 알리면 이메일 마케팅(email
marketing)입니다.

판매:- 요가에 관심을 갖고 찾아온 사람에게
요가원의 시설을 안내해 주고, 어떤 프로그램이
좋을지 상담을 해서 가격을 제시하고, 돈을 지불
받았다면 판매(sale)입니다.

마케팅은 위의 모든 활동과 영업까지 포함하는
과정입니다. 마케팅은 어떤 사람들의 욕구를
만족시킬지 타깃고객을 정하고, 어떻게 그들이
우리를 선택할지 만들기 위한 전략입니다. 사람들이
흔히 마케팅이라고 생각하는 것은 전술입니다.
전략과 전술은 다음과 같은 차이가 있습니다.

전략(strategy)은 장기적 목표를 정하고 어떻게
그것을 성취할지 계획하기입니다. 높은 산 꼭대기에
오르는 것이 목표라면 꼭대기까지 가는 여러 가지
경로가 있습니다. 전략은 여러 가지 경로 중 목표에
도달할 수 있는 가장 빠르고 쉬운 경로를 선택하는
과정입니다.

전술(tactic)은 전략적 목표를 달성하기 위한 구체적인 행동들입니다. 높은 산에 오르는 것이 목표라면 스틱을 쓰거나, 배낭 무게를 줄이거나, 음식물을 선택하는 작은 행동들이 전술입니다.

열심히 일해도 성과가 없다면, 전략 없이 온갖 전술들을 무작위로 시험하고 있는건 아닌지 검토 해보아야 합니다. 예컨대 별생각 없이 홍보용 팸플릿을 만들어서 사무실에 먼지가 쌓일 때까지 쌓아두거나, SNS 마케팅이 인기라고 하니 인스타그램에 비즈니스 계정을 만들어 여러 가지를 올려보다가 방치하는 식입니다. 성공하려면 계획이 필요합니다. 마케팅 전략을 세우고, 그 전략을 토대로 적절한 전술을 선택해야 합니다.

소기업 마케팅은 대기업의 그것과 다르다.

필립 코틀러의 저서, '마케팅 원리'는 전 세계 대학에서 마케팅 교재로 가장 많이 쓰입니다. 깨알 같은 글씨로 700 페이지에 달하는 이 책은 STP 와 4P 를 설명하고 실제 기업들의 마케팅 사례가 풍부합니다. 많은 영감을 얻을 수 있는 책입니다.

그럼에도 불구하고 소규모 사업주는 책을 본 후 실천할 엄두가 나지 않습니다. 대기업에 적합한 마케팅 이론과 사례들만 다루고 있기 때문입니다.

대기업과 소기업의 마케팅이 달라야하는 이유는 그 목적과 자원이 다르기 때문입니다. 대기업 CEO 의 경영 우선순위는 '주주가치 제고'입니다.

경영을 잘해서 주가를 끌어올리고 수십, 수백만명의 주주를 행복하게 만들어야 합니다. 반면에 소기업은 당장 수익을 내고 현금이 들어오게 만들어야 합니다. '도브'는 시장조사로 비현실적인 아름다움의 기준을 제시하는 대중매체 때문에 여성들이 낮은 자존감 문제를 겪고 있다는 걸 알아냈습니다. '진정한 아름다움을 찾자'라는 캠페인을 벌이기 시작했고, 2013 년에 만든 영상은 역대 최고 광고로 손꼽히고 있습니다. 사회에 긍정적 메시지를 스토레텔링으로 전달한 덕분에 '도브'는 브랜드 가치를 크게 높였습니다. 이런 사례를 접하면 소기업도 따라고 해보고 싶습니다.

브랜드 구축이 이익을 높이는데 핵심요소임을 알아도 소기업은 그럴 시간적 여유가 없습니다. '도브'가 대중의 지지를 받으며 크게 성장한 것은 캠페인을 시작하고 10 년이 훨씬 지나서입니다.

소기업은 예산도 적습니다. 사업이 수익을 내려면
비용은 줄이고, 이익은 늘려야 합니다. 공급업체
로부터 원재료를 싸게 사서, 효율적으로 생산하고,
인건비를 줄이는 방법으로 원가절감을 하면 수익을
약간 개선할 수 있습니다. 이와 같은 '마른 수건
쥐어짜기' 경영방식으로 승부를 보려고 하면 '규모의
경제' 효과 때문에 소기업은 대기업을 이길 수
없습니다. 소기업은 돈, 시간, 인력의 자원이 훨씬
적습니다.

소기업이 극적으로 수익을 개선하는 방법은 마케팅
능력의 개선입니다. 당신의 사업에 딱 맞고 실행할
수 있는 마케팅 모델이 필요합니다.

당신 사업에 딱 맞는 마케팅 계획을 세워라.

소기업은 마케팅 개념 없이 영업 노력만 기울이는
경우도 많습니다.

영업은 전화, 인터넷, 이메일을 통하여 직접 소통하기
때문에 설득력이 높은 커뮤니케이션 방법입니다.
사업 종류에 따라 고객과 직접 커뮤니케이션 하는
방식의 영업이 매우 중요할 수도 있습니다.

그러나 영업과 마케팅의 차이에서 설명하였듯이,
영업은 마케팅의 일부이기 때문에 영업이란 전술만

수행하면 전략적 목표를 효율적으로 달성하기
어렵습니다.

영업 깔때기는 당신과 고객의 관계를 분석하여
단계별로 어떤 행동을 해야 할지 알 수 있는
도구입니다. '인지' 단계에서는 고객에게 당신을
알려서 가망고객을 발굴합니다. 고객의 상태가 '관심',
'고려' 단계라면 잠재고객인지 판별하여 구매를
설득합니다. 지불하였다면 구매고객으로 '전환'되어
사후관리를 합니다. 모델을 만들고 시각화하면
고객과의 관계를 잘게 쪼개어 분석할 수 있습니다.
고객이 어느 단계에 있는지 알 때 당신은 무엇을 해야
할지 정할 수 있습니다.

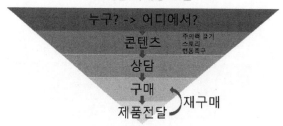

소기업 마케팅 모델 (출처: 새태 경영컨설팅)

소기업 마케팅 모델은 '타깃고객'을 결정하고, 그들이 있는 매체를 찾아 브랜드를 소개하는 것으로 시작합니다. 다음은 '콘텐츠'로 브랜드가 어떻게 고객의 삶을 더 낫게 만드는지 스토리텔링으로 관심을 갖게 만듭니다. '상담'을 통하여 구매결정을 이끌어 내고, 고객의 기대에 부응하는 '제품전달'로 장기적인 관계를 만듭니다.

이 모델은 사업주가 고객별 특화된 서비스를 제공하고 고객은 구매를 위해 비교적 많은 정보를 얻어야 할 때 많이 사용하는 모델입니다.

모델링의 효과

모델이란 문제를 해결하기 위해 관계, 패턴, 규칙을 찾아내서 모형화하는 것을 말합니다. 마케팅 모델을 만드는 이유는 두 가지입니다. 첫째는 사업가가 무엇을 해야 할지 알 수 있습니다. 마케팅 지식이 아무리 많아도 실천하지 못하는 이유는 헷갈리기 때문입니다. 모델은 단계별 행동이 있기 때문에 헷갈리지 않습니다. 두 번째는 자동화로 효율을 높입니다. 예컨대 마크 저커버그는 48 달러짜리 회색 반소매 티셔츠만 입습니다. 600 조 원 가치의 기업을 운영하는 이 스타 경영자는 매일 아침 뭘 입을까 고민하는 것을 시간 낭비라고 여깁니다. 매일 아침 자동으로 같은 옷을 입습니다.

중요하지 않은 일에 들어가는 시간과 에너지를 아껴 사업을 성장시킬 아이디어를 생각한다고 밝혔습니다. 모델을 미리 만들어 두면 반복적으로 발생하는 문제를 헷갈리지 않고 즉각 행동하는 효율성이 생깁니다.

소기업가는 비교적 빨리 성과를 내는 마케팅 모델이 필요합니다. 목표에 도달하기 위한 전략을 세우고 적절한 전술을 숙고하여 모델을 만듭니다.

마케팅 모델을 한 장에 그림으로 만들면 무엇을 해야 할지 헷갈리지 않습니다. 사업별 다른 모델이

필요하지만 완전히 새로운 것을 만들 필요는
없습니다.

새로운 것을 창조하려면 너무 많은 에너지가
소모되기 때문입니다. 소기업 마케팅 모델을
이해하고, 소소하게 수정하여 자신만의 모델을
만들어 보시기 바랍니다.

1. 누구를 고객으로 만들 것 인가?

사업주는 가급적 많은 고객을 얻고 싶어 합니다. 더 많은 고객을 얻기 위해 더 많은 제품을 만들고, 더 많은 시장에서 서비스를 판매하려고 합니다. 얼핏 생각하면 당연해 보이지만 소기업에서는 엄청난 실수입니다. 잠재고객을 놓치고 싶지 않기 때문에 모두에게 최선을 다합니다. 그러나 결과적으로 누구도 만족시키지 못할 가능성이 큽니다. 전략 없이 의욕만 넘치는 활동에 비롯된 실수입니다. 마케팅 전략 어느 고객을 만족시킬지 결정하기로 시작합니다. 선택된 고객들에게 마케팅 노력을 집중하고 나머지는 포기해야 합니다. (시장 세분화 7 쪽 참조)

소기업 마케팅 모델

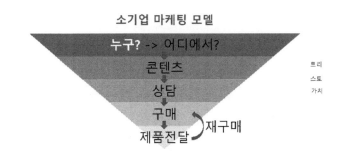

대량 마케팅

많은 대기업 광고는 여러 매체를 통하여 대량 마케팅합니다. 이런 광고들은 기업의 이미지를 유지하는 <브랜딩> 목적이 많습니다. 대량 마케팅은 대기업과 같이 자원이 풍부하여 당장 수익이 나지 않아도 되고, 오랜 기간 동안 투자할 수 있는 경우에만 효과가 있습니다. 예컨대 오리온 초코파이는 특정한 표적 시장(표적 시장)이 없습니다. 하나의 제품으로 남녀노소 모두에게 어필하고 있습니다. 광고는 감성을 부추기고 누구나 좋아하는 국민 간식이라는 메시지를 보냅니다.

사람들의 필요와 요구는 모두 제각각입니다. 하나의 서비스로 모든 사람을 만족시키는 것은 불가능합니다. 이것이 차별화 마케팅이 필요한 이유입니다. 현대차는 대량 마케팅과 차별화 마케팅을 함께하는 예입니다. 경차, 소형, 중형, 대형으로 나눠서 시장 전체의 모든 고객군을 표적 고객으로 합니다. 표적 고객군별 다른 서비스를 제공하고 있습니다. 현대차는 차량별 광고와 기업 광고 모두를 합니다. 대량 마케팅은 자원이 풍부한 대기업에서만 할 수 있습니다.

시장을 좁히고 좁혀라.

소기업이 대량마케팅을 시도하면 효과를 보기 전에 파산할 위험이 있습니다. 소기업은 시장의 모든 고객군별 차별화된 제품과 서비스를 다르게 만들고, 다른 메시지를 개발하기는 불가능합니다. 소기업은 시장을 좁히고 좁혀서 대기업이 충족시키지 못하는 틈새시장을 찾는 것이 낫습니다. 틈새시장의 특별한 욕구를 찾았다면 하나의 전문화된 서비스를 제공하여 이윤을 창출할 수 있습니다. 틈새시장을 성공적으로 공략하고 난 이후에 인접시장으로 확장함으로써 단계적으로 성장이 가능합니다.

시장 세분화와 표적 시장 선정은 마케팅 과정에서 필수입니다. 시장 세분화는 일정한 기준에 따라 전체 시장을 몇 개의 작은 세분시장으로 나누는 것입니다. 표적 시장은 그중 가장 성공적으로 공략할 수 있는 시장을 선정하여 마케팅 노력을 집중하는 전략입니다. 당신의 사업에 적합한 표적 시장을 선정하면 수익성이 올라갑니다.

소기업 시장 세분화 예

요가원이 시장 세분화를 이용하는 예입니다.

요가원은 시간대별로 특성이 다른 고객을 위한 수업을 제공합니다.

- 새벽 5 시:- 2~30 대 직장인을 위한 요가
- 오전 10 시:- 체중감량이 관심인 사람을 위한 파워 요가
- 오후 3 시:- 1:1 개인레슨
- 저녁 7 시:- 직장인을 위한 명상 요가
- 토요일 오전 10 시:- 명상과 차담

아침저녁으로는 직장에 다니는 사람들을 타겟으로 하고, 오후에는 수요가 가장 적기 때문에 1:1 로 요가클래스를 열었습니다. 시간별 수업 내용과 난이도를 달리하기 때문에 고객은 자신에게 적합한 걸 선택할 수 있습니다. 만약 더욱 차별화된 틈새시장을 발굴한다면 어린이 요가 교실, 시니어 요가 교실, 주말 집중 명상과 같은 수업을 진행할 수도 있을 것입니다.

소기업은 한 명의 고객이라도 더 얻어야 합니다. 스스로 시장을 제한하고 가능성을 포기할 용기가 생기지 않을 수도 있습니다. 표적 시장을 선정해야 하는 명확한 이유는 두 가지입니다.

1. 소기업은 돈과 시간이 제한되어 있습니다. 넓은 시장을 공략하려고 하면 마케팅 노력이 약해집니다.

2. 고객의 욕구는 다 다릅니다. 고객은 모두를 위한 서비스가 아니라 자신에게 딱 맞는 것을 원합니다.

자원을 모아 집중하라.

지구 위의 생명체들은 햇빛을 받아서 생존하고 성장합니다. 햇빛이 많은 곳일수록 동식물이 더 다양하게 번식하고 식물들은 더 넓어지고 높이 자랍니다. 한편, 돋보기를 사용하면 햇빛을 한 점으로 모아 나뭇잎을 태울 수 있습니다. 같은 양의 에너지도 돋보기를 통하여 집중시키면 그 결과가 완전히 달라집니다. 마케팅 노력도 집중으로 차이를 만들 수 있습니다. 자원이 부족하더라도 표적 시장에 모든 마케팅 노력을 집중시킴으로써 경쟁자와 차별화되고 고객 만족을 성취할 수 있습니다. 집중은 넓은 시장에 대한 가능성을 과감히 포기하는 일입니다.

고객이 필요한 건 전문가

등산을 하다가 가슴을 쥐어짜는 듯한 통증과 극심한 피로감을 느꼈습니다. 심장마비가 걱정됩니다. 당신이라면 일반의와 심장전문의 중 누구에게 치료받고 싶나요? 대부분 심장전문의를 선택할 것입니다. 일반의보다 심장전문의가 더 많은 비용을 청구할 것이 분명할지라도 그렇게 합니다. 사람들은 가격만 보고 서비스를 결정하지 않습니다. 서비스가 자신에게 꼭 필요하고, 그것도 즉시 필요하다면 가격은 더 이상 선택기준이 아닙니다. 모든 환자들을 상대로 이것저것 다 하는 의사보다 특정 질환을 가진 환자만 전문적으로 치료해 주는 전문의가 돈을 더 많이 법니다. 그리고 더 존경받습니다. 전문의는 전체 환자 수는 줄어들지만 소수의 환자에게 딱 맞는 전문 서비스를 제공함으로써 가치를 높이고 있습니다.

표적 시장이 없다는 것은 차별성이 없다는 의미입니다. 모든 사람을 대상으로 제공하는 평균적인 제품이나 서비스는 상품이 됩니다. 상품은 대체품이 많이 있기 때문에 고객의 구매 결정 기준은 가격이 됩니다. 소기업은 대기업과 가격경쟁으로 이길 수 없습니다. 소기업일수록 표적 시장을 좁게 정해야 합니다. 일반의가 아니라 전문의가 되어야 합니다.

이상적인 표적 시장을 결정하였다면 고객이 누구인지 생생히 그려 볼 수 있어야 합니다. 다음 질문들에 답해보아야 합니다.

· 고객은 몇 살이고, 성별은 무엇이며, 어디에 살까?
· 고객은 무엇 때문에 짜증이 날까?
· 고객은 무엇에 화가 나 있을까?
· 고객은 무엇을 두려워하는가?
· 고객은 어떤 일에 성공하려고 애쓰는가?
· 고객은 어떤 커뮤니티에서 주로 활동하는가?
· 고객은 어떤 매체를 통하여 정보를 얻는가?
· 고객은 어떤 앱을 이용하여 다른 사람들과 소통하는가?

· 고객은 삶을 더 낫게 만들기 위해 무엇을
원하는가?

고객중심 마케팅을 하고 싶다면 이 질문들에 답하고
고객을 잘 알아야 합니다. 고객을 이해하여 그들이
원하는 것을 주고, 그들이 두려워하는 것을 없앤다면
그들은 기꺼이 가격을 지불할 것입니다. 고객을
제대로 이해하지 못하면 다른 마케팅 노력도 허사가
됩니다. 표적 시장에 대한 깊이 있는 연구를 하고,
대화를 나눠보고, 관찰해야 합니다. 고객의 성공을
위해 밤잠 못 이룬다면 당신의 사업은 성공할
것입니다.

2.어디에서 고객과 커뮤니케이션할 것인가?

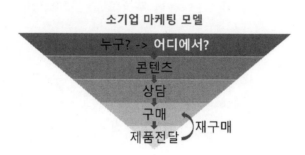

소기업 마케팅 모델

누구? -> 어디에서?
콘텐츠
상담
구매
제품전달 재구매

표적 시장을 정하였다면 그들이 있는 곳을 찾아야 합니다. 고객이 먼저 당신에게 찾아오지 않습니다. 당신이 먼저 찾아가야 합니다. 밖에 나가서 전단지를 뿌려야 할까요? 만약 요가원이나 음식점처럼 지역주민들 누구라도 한 번쯤 고객이 될 수 있다면 전단지 돌리기도 나쁘지 않습니다. 공인중개사, 행정사, 변호사, 세무사, 법무사와 같은 업종이라면 법원 앞, 경찰서 앞, 세무서 앞, 시청 앞과 같이 표적 고객이 다니는 물리적 경로에 사무실을 선점하는 것이 높은 광고효과를 누릴 수 있습니다. 최근 소비자의 90%는 특정 제품을 구매하기 전에 인터넷에서 검색부터 해보고 매장에 가서 구매합니다. 특히 전문지식이나 맞춤형 서비스가 필요한 사람들은 구매 전 인터넷을 통해 많은 정보를 찾습니다. 그리고 주변에 지식이 많은 사람들 한테 물어보기도 하고, 전화를 해본 후 사무실에 방문하는 것이 소비 패턴입니다. 표적시장 고객들에게 제품이나 서비스를 알리고 반응을 얻기 위해서는 매체 선정이 매우 중요합니다. 마케팅 전체 과정에서 매체에 가장 많은 비용을 쓸 것입니다.

매체(Media)의 종류와 특성

매체를 전술적 관점으로 보면 신문, TV, 디지털로 구분됩니다. 전략적 관점으로 보면 판매 매체, 획득 매체, 소유 매체로 구분되고 있습니다. 커뮤니케이션의 목적을 명확히 하고 적합한 매체의 특징을 이해해야 합니다.

1. **판매 매체(paid media)**는 비교적 전통적인 매체로 주로 광고를 말합니다. 텔레비전 광고, 검색 광고, 배너 광고, 클릭 광고, 비용을 지불한 인플루언서가 그 예입니다. 유튜브에 돈을 지불하고 광고를 하였다면 판매 매체입니다. 그러나 유튜브에 직접 채널을 만들어 홍보 목적에 영상을 올린다면 소유 매체입니다.

2. **획득 매체(earned mdia)**는 당신이 하는 활동들을 토대로 하는 각종 이벤트를 말합니다. 예컨대

아디다스는 동아마라톤 대회를 후원함으로써 TV와 디지털 매체에 노출됩니다. 스포츠에 관심 있는 잠재적 고객들은 스포츠이벤트를 통하여 브랜드와 관계를 맺습니다. 소규모 사업인 요가원에서 회원들에게 로고가 인쇄된 요가매트를 나눠주며 SNS(페이스북, 인스타그램)에 게시할 것을 요구하는 활동도 획득 매체입니다. SNS는 비슷한 관심을 가진 사람들에게 빠르게 전달되는 것이 특징입니다. 소비자들은 SNS에서 제품이나 서비스에 대해 서로 이야기를 합니다. 획득 매체는 언뜻 무료라고 생각하기 쉽지만 무료가 아닙니다. 때때로 판매 매체보다 많은 금전적 비용과 치밀한 설계노력을 투입해야 합니다.

3. 소유 매체(owned media)는 자체적으로 보유하여 통제력이 매우 높은 매체입니다. 소유 매체는 자사 웹사이트만을 의미한다고 오해하는 사람들이 많습니다. 자사 웹사이트뿐 아니라 블로그나 사무실 건물에 붙인 간판도 소유 매체입니다. 사람들이 많이 다니는 교차로에 사무실을 임차하여 눈에 띄는 간판을 걸면 많은 사람들이 지나다니면서 제품이나 서비스를 인지합니다. 또한 제품은 그 자체로 자신을 광고합니다. 예컨대 자동차에 뒤에는 차 이름이 적혀 있습니다. 당신 차 뒤에 운전자들은 당신의 차 이름을 자연스럽게 볼 수 있습니다. 제품이나 서비스는 그

자체로 자기광고를 하며 고객과 소통하는 수단이 됩니다.

표적 고객이 주로 사용하는 매체 습관을 분석하였다면 구체적으로 어떤 매체를 사용할지, 얼마 만큼에 비용을 투입할 것인지 결정해야 합니다. 매체는 전문적인 지식이 필요하기 때문에 광고대행사를 사용하면 이 결정을 내리는데 도움을 줄 것입니다.

적절한 광고 예산을 결정하는 많은 기법들이 있지만 소기업의 경우에는 대게 경영자의 직관에 따른 결정을 내립니다. 예컨대 <매출에 10%를 커뮤니케이션 활동에 사용하겠다.> 또는 <경쟁자 보다 조금 더 많이 쓰자.>와 같은 결정입니다. 이런 휴리스틱 결정은 최선이 아니지만 빠르고 적은 비용으로 결정을 내릴 수 있는 장점도 있습니다. 그러나 매체 예산은 커뮤니케이션의 최종 목적으로 결정하는 것이 좋습니다. 예컨대 법률 서비스를 제공하는 사무실을 열었다면 우선 인지도를 높여야 합니다. 지역 내 30,000 명에게 알리겠다고 목표를 정하고, 지역신문에 광고 싣기를 이용할 수 있습니다.

매체는 도중에 바꾸면 효과가 떨어질 수 있기 때문에 처음부터 신중히 선택해야 합니다. 소규모 사업은 매스 미디어나 보다 SNS, 지역신문, 옥외간판, 지역행사를 이용하는 것부터 고려해야합니다.

3.소기업의 디지털 매체 활용

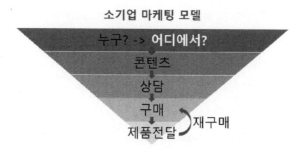

고객과 커뮤니케이션하기 위해서는 다음 질문에 답을 찾아야 합니다. 표적 고객은 어떤 매체에서 시간을 보낼까? 요즘은 연령대를 가리지 않고 디지털 매체에서 많은 시간을 보내고 있습니다. 표적 고객이 있는 디지털 매체를 찾는 것이 중요합니다.

디지털 매체의 특징

2013 년 미국의 한 연구에 따르면, 아침에 눈을 뜨자마자(15 분내) 스마트폰을 확인하는 사람의 비율이 79%에 이른다고 합니다. 더 놀라운 사실은 스마트폰이 없이 사느니 섹스를 포기하겠다고 응답한 사람들이 3 분의 1 이나 됩니다. 한국인은 하루에 평균 2 시간 46 분 동안 스마트폰을 사용합니다.

스마트폰, 태블릿 PC 등 모바일 기기의 보편화는 사람들의 소비행태를 근본적으로 변화시켰습니다. 구매 결정 과정에서 스마트폰의 역할이 매우 큽니다. 스마트폰을 포함한 디지털 매체들이 불러온 주요 변화는 다음과 같습니다.

· 가격 비교가 쉽습니다. 소비자는 제품명을 검색하여 비싸게 파는지 싸게 파는지 즉시 알 수 있습니다.

· 위치기반으로 내가 원하는 제품을 파는 가까운 거리의 상점을 찾습니다.

· SNS(소셜미디어)의 영향력이 늘었습니다. 소비자들은 SNS에서 브랜드에 대해 이야기합니다.

디지털 매체에서 고객 찾아가기

온라인에서 소통하는 방법은 끝이 없습니다. 매체별 특징을 이해하고 당신의 사업에 맞는 매체에 집중해야 합니다.

1. 검색 엔진과 웹사이트

네이버, 구글, 다음 세 개 검색엔진의 점유율은 90%를 넘습니다. 첫 번째 할 일은 각 검색엔진 지도에 당신의 사업을 등록하는 일입니다. 네이버는 스마트플레이스, 구글은 구글 비즈니스, 다음은 카카오 비즈니스에서 당신의 사업을 등록할 수 있습니다. 살면서 가끔씩 필요한 서비스들은 고객들이 평소에는 관심을 가지지 않다가 필요할 때 검색합니다. 예를들어 공인중개사, 법무사, 행정사, 경영컨설팅의 서비스가 급하게 필요한 사람들은 지도 검색 부터 해볼 가능성이 높습니다. 그리고 현재위치와 가까운 사무실 몇개를 찾아서 전화를 해봅니다. 한 행정사의 말에 따르면, 개업 초기 전체 의뢰 중 70%이상이 네이버 스마트플레이스를 통해 문의가 들어왔다고 밝혔습니다. 지도에 사업 등록하기는 쉽기 때문에 바로 해야합니다.

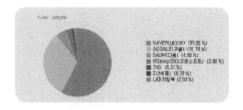

웹사이트(홈페이지) 개설은 사업의 종류를 불문하고 필요합니다. 웹사이트는 고객 또는 잠재고객과 소통하는 중요한 공간입니다. 고객이 SNS 나 검색엔진에서 당신의 사업을 알게 되더라도 웹사이트가 없으면 신뢰도가 떨어집니다. 웹사이트는 직접 통제할 수 있기 때문에 연락처 제공, 직접판매, 가치제안, 브랜드 구축을 하는 핵심 공간이 됩니다.

웹사이트 개설이 어렵다면 홈페이지형 블로그로 대체할 수 있습니다.

추가로 검색엔진 최적화(SEO)를 염두에 두어야 합니다. 구글의 검색 순위에서 첫 페이지에 나타나도록 콘텐츠를 만드는 작업이 검색엔진 최적화입니다. 구글의 강력한 검색 알고리즘은 머신러닝을 통해 발전되고 개별 사용자에 맞춤형 검색결과를 보여줍니다. 구글은 사용자의 현재 위치를 이용하기 때문에, 사용자가 필요한 서비스를 검색하면 먼 거리의 대기업보다 가까운 거리의 소기업을 상위에 노출하는 장점이 있습니다. 광고비를 쓰지 않고 상위에 노출되려면 알고리즘을 설득해야 합니다. 믿을 만한 콘텐츠라고. 예컨대 콘텐츠에는 표적 고객이 주로 사용하는 키워드를 사용하고, 신뢰도가 높은 플랫폼에서 콘텐츠를 만들고, 그 콘텐츠를 여러사람이 퍼가도록 하여 인용이 많이 되면 검색엔진이 신뢰도에 높은 점수를 줍니다.

2. 온라인 커뮤니티

저명한 마케터 세스 고딘은 종족(tribe)이라는 개념을 소개하며 이렇게 말했습니다. <인간은 반드시 어딘가에 소속되어야 한다.> 사람들은 특정 집단에 소속되고, 인정받고, 연결되어 있음을 느끼고자 하는 본능이 있습니다. 온라인에는 다양한 관심사별로 수백만, 수천만 개의 커뮤니티가 있습니다. 사람들은 한 두개 이상의 온라인 커뮤니티에 소속되어 있습니다.

구체적으로 네이버 카페, 카카오 단톡방, 페이스북 그룹, 틈새 웹사이트가 있습니다. 커뮤니티 안에서는 구성원들끼리 관심사를 이야기하고, 문제를 제기하고, 다른 사람들로부터 정보를 얻습니다. 구성원들은 TV 뉴스나 신문같은 권위있는 매체보다 당신과 같은 집단의 구성원이 하는 말을 더 신뢰합니다. 커뮤니티가 내부적으로 동질성이 큰 종족을 이루었다면 리디는 구성원에게 큰 영향을 미칩니다. 구성원들은 커뮤니티 리더가 하는 말을 귀 기울여 듣습니다. 사업주는 관련 커뮤니티 활동을 함으로써 제품 판매 가능성을 여는 것은 물론, 고객이 무엇을 원하는지 배울 수 있습니다.

3. SNS(소셜미디어)

연구결과에 따르면 페이스북, 인스타그램, 틱톡, 트위터, 유튜브 중 하나 이상의 소셜미디어를 사용하는 사람은 42 억명에 이릅니다. 사람들은 매일 평균 2 시간 25 분을 SNS 에서 시간을 보냅니다. SNS 는 대기업만을 위한 매체가 아닙니다. 미국의 경우 중소기업의 71 퍼센트가 소셜미디어를 이용하고 그중 52 퍼센트가 하루에 한번씩 포스팅을 합니다.

대기업들은 전담 인력을 투입하여 소셜미디어에서 마케팅활동을 합니다.

SNS는 시작은 쉽지만 좋은 콘텐츠를 만드려면 많은 시간을 투입해야 합니다.

소기업이 SNS를 사업에 이용하는 방법 세가지입니다.

· 브랜드 인지도 올리기:- SNS에서는 소기업이 대기업을 상대할 수도 있습니다. 흥미로운 콘텐츠를 만들어 게시하면 다른 어떤 매체보다 많은 청중에게 전달됩니다.

· 고객과 경쟁자 이해:- 고객과 경쟁자에 대해 얼마나 알고 있나요? 고객은 어떤 고민을 갖고 있을까요? 고객은 어떤 언어를 사용할까요? 경쟁자는 어떻게 고객들에게 접근하고 어떤 메시지를 보낼까요? SNS에서 고객의 생생한 목소리를 들을 수 있습니다.

· 고객과 직접 소통하기:- SNS는 예쁜 사진만 올리는 곳이 아닙니다. 고객과 관계를 만들 수 있습니다. 고객은 SNS를 통하여 다른 사람들에게 당신의 제품과 서비스에 대해 이야기 할 것입니다.

어떤 SNS를 사용해야 할까요? 페이스북이나 인스타그램은 주로 사진과 영상을 통한 비교적 가벼운 콘텐츠를 다루기에 적합합니다. 예컨대 음식점, 요가원과 같은 사업은 페이스북이나 인스타그램을 이용하여 인지도를 높이고 고객을 발굴하기 유리합니다. 그러나 전문 지식서비스업(예: 법률, 경영컨설팅, 번역)이라면 블로그 글 또는 유튜브를 통하여 보다 세부적인 정보를 전달하는 편이 효과적입니다.

SNS에서는 포스팅을 하기 전에 어떤 목적인지 분명히 해야 합니다. SNS는 직접 판매도 가능하지만 호의적인 태도를 갖도록 만드는 브랜드 구축에 효과가 높습니다. 인스타그램에서는 콘텐츠에 웹사이트 주소를 넣어도 링크가 활성화되지 않습니다. 그러나 프로필에서 웹사이트 주소를 넣으면 링크가 활성화되어 클릭을 할 수 있습니다. 페이스북, 인스타그램, 유튜브는 데이터를 활용한 인공지능으로 표적 고객에게 접근하기 때문에 맞춤형 광고 능력이 뛰어납니다.

4. 오프라인 매체

사업에 따라 디지털 매체뿐 아니라 오프라인 매체도 투자가 필요합니다. 예컨대 지역신문에 광고하기는 구식같지만 지역 주민들을 대상으로 서비스를 제공하는 소기업에서는 효과가 큽니다. 개업 초기에 한번만 해도 인지도가 빠르게 올라갑니다. 매장이나 사무실을 표적 고객이 다니는 곳을 선점하고 간판을 크게 내걸면 광고효과가 있습니다. 한 행정사로부터 간판이 없어 고객을 놓친 일화를 들었습니다. 개업 초기에 고객이 먼저 전화를 걸어와서, 행정사는 사무실에 찾아와 상담할 것을 권하였습니다. 그러나 오기로 한 날 하루가 저물어갈 때까지 오지 않았습니다. 전화로 물어봤더니 건물 근처에 와서 몇 번을 돌다가 사무실을 못 찾아서 포기하고 돌아갔다는 말을 들었습니다.

눈에 띄는 간판 은 잠재고객에게 제품 필요성을 상기시키는 광고효과가 있고, 사무실로 출입을 유인하는데 중요한 역할을 합니다.

스마트폰이 없는 고객은 사실상 없습니다. 고객들은 하루 중 많은 시간을 디지털 매체에서 보냅니다. 당신 사업의 고객이 주로 시간을 보내는 매체를 파악해야 합니다. 웹사이트를 만드는 것은 필수입니다. SNS, 블로그, 유튜브에서 당신의 전문영역을 주장해야 합니다. 온라인 커뮤니티는 고객에게 당신을 알리는 것은 물론 고객을 배울 수 있는 기회를 제공합니다.

4.콘텐츠의 주인공은
고객이다.

소기업 마케팅 모델

콘텐츠 마케팅 시대

콘텐츠 마케팅은 대기업뿐 아니라 소기업도 하고 프리랜서도 합니다. 콘텐츠는 현대 마케팅의 핵심 도구가 되었습니다. 스마트폰 보편화로 초연결시대가 되었기 때문에 누구나 콘텐츠를 만들 수 있습니다. 콘텐츠는 영화, 음악, 게임, 글을 말합니다. 사람들은 하루 종일 콘텐츠를 소비합니다. 마케팅 콘텐츠는 말과 글을 핵심 요소로 고객과 소통하는 것이 목적입니다.

마케팅 콘텐츠는 최종적으로 매출을 올리고, 비용을 절감하고, 고객충성도를 높이는 역할을 합니다. 좋은 콘텐츠는 제품이나 서비스를 사라고 강요하며 소음을 만들지 않습니다. 대신 잠재고객이 자신과 관련성을 느끼고 문제를 해결하는데 도움이 된다고 인식하도록 설계해야 합니다. 콘텐츠를 설계할 때는 고객이 콘텐츠를 보고 어떤 행동을 하길 원하는지 분명히 정해야 합니다. 예컨대 콘텐츠의 목표는 당신에게 전화를 걸던가, 사무실로 방문하던가, 웹페이지를 클릭하던가, 주변 사람에게 제품이나 서비스에 대해 말하도록 하기 입니다.

주인공은 바로 나

TV, 라디오, 신문, 잡지, 길거리, 지하철, 택시는 광고로 덮여 있습니다. 무엇보다 스마트폰은 주머니 속의 광고 기계입니다. 광고는 넘치지만 대부분의 사람들은 광고에 주의를 기울이지 않습니다. 대놓고 하는 광고를 보면 의도적으로 회피하기까지 합니다. 인간은 무엇인가에 집중할 수 있는 주의력에 한계가 있습니다. 디지털 기계에 둘러쌓여 끊임없는 자극이 들어오기 때문에, 그 모든 것에 주의력을 기울이면 뇌는 과부하가 걸립니다. 따라서 사람들은 선택적 주의를 기울입니다. 선택적 주의력으로 방해 받지 않고 중요한 일을 처리할 수 있습니다.

당연하게도 마케터가 콘텐츠로 소통하려면 우선 듣는 사람의 주의를 끌어야 합니다. 어떻게 해야 듣는 사람의 소중한 주의력을 얻을 수 있을까요? 주의를 끄는데 가장 중요한 요소는 듣는 사람이 느끼는 관련성 여부입니다.

도스토예프스키 소설들은 인간심리에 대한 탁월한 통찰로 유명합니다. 그의 소설 <지하로부터의 수기>에 나오는 한 구절입니다.

> 나는 세상을 지옥으로 떨어지라고 말한다. 그러나 나는 언제나 나의 차를 마셔야 한다.

세상이 어떻게 되든 나는 내가 제일 소중하다는 말입니다. 인간은 매일 아침 눈을 뜨며 자기를 주인공이라고 생각합니다. 나와 관련이 있는 일에만 관심을 보이고 주의력을 쏟습니다. 내가 어떤 말이나 행동을 했을 때 어떤 사람들은 좋아하고 어떤 사람들은 싫어합니다. 그러나 대부분의 사람들은 관심이 없고 귀담아듣지 않습니다. 다른 사람의 주의력을 끌려면 당신이 먼저 그 사람에게 주의를 기울여야 합니다. 그 사람이 중요하다고 생각하는 것을 말해야 합니다.

자기 존재를 알리기 위해 애쓰는 기업과 브랜드의 가장 큰 실수는 고객이 아닌 자기를 주인공으로 설정하기입니다.

특히 신생 기업과 신생 브랜드일수록 스스로를 증명해야 한다는 강박관념에 시달립니다. 그 결과 제품이나 서비스가 얼마나 품질이 좋고 혁신적인지

일방적 독백을 합니다. 고객의 관심과 주의를 끌고
싶다면 고객을 주인공으로 설정하는 것이 올바른
커뮤니케이션의 첫걸음입니다.

관련성 높이기

이메일이나 문자 제목에 내 이름이 들어 있는 걸
받아본 적 있으신가요? 아는 사람이 보낸 것인지
클릭해서 읽다 보면 광고일 가능성이 높습니다.
온라인 서점이 보낸 문자메시지와 동네 식자재
마트에서 보내온 할인 이벤트 메시지에도 제목에
고객 이름을 삽입하는 사례가 있습니다. 받는 사람을
주인공으로 설정한 것입니다. 사람들은 자기 자신과
관련된 정보에 주의를 기울이는 경향성이 있습니다.

그림 (좌)는 한국인 3 명 중 1 명이 암에 걸린다고
말합니다. 이 문구는 한 암 보험 광고의 구호가
되었습니다. TV 에서 이 광고를 같이 보던 사람들은
암 보험 하나 들어야 하지 않겠냐며 이야기가

오갔습니다. 암이라는 무서운 질병에 나도 걸릴 수 있다는 관련성을 느낀 것입니다.

그림 (우)는 일본인 의사가 쓴 책입니다. 누구나 나이가 들어가면서 건강을 지키는 데는 관심이 커집니다. 직접 아파봤고 주변에 아픈 사람이 늘기 때문입니다. 이 책 제목에서는 <통증의 90%가 고관절 문제다>라고 확언하고 있습니다. 90%라면 거의 모두이므로 내가 예외가 될 가능성은 적습니다. 3분의 1 또는 90%와 같은 표현은 남의 문제가 아닌 자신의 문제일 수 있음을 강조하여 관련성을 느끼게 만드는 방법입니다.

이 두 가지 사례는 공통적으로 '공포'라는 감정을 일으켜서 관련성을 느끼게 만들고 있습니다. 사람들은 이성적인 생각보다 감정에 먼저 이끌립니다. 감정으로 어떤 물건을 사고 이성으로 그것을 산 이유를 합리화합니다. '공포', '욕망', '자부심(지위)'와 같은 감정을 자극하면 관련성을 높이기 쉽습니다.

주의력을 끌었다면 가치를 제공하라.

도발적인 제목은 클릭을 유도합니다. 한 행정사로부터 블로그 마케팅을 하면서 제목으로 조회수를 올린 일화를 들었습니다. 글 제목에 BTS(방탄소년단)와 한 멤버 이름을 집어넣었습니다. 그 멤버의 가족이 자기 사무실에 찾아왔었다는 내용이었습니다. 거짓말이 아니었습니다. 젊은 층의 BTS 팬들 덕분에 블로그 글은 발행하자마자 높은 조회수를 기록했습니다.

그러나 그 외국어번역행정사가 블로그에 글을 쓰는 것은 잠재고객을 발굴하기 위한 활동입니다. 조회수는 높았지만 자기에게 업무를 의뢰해 온 사람은 한 명도 없었다고 합니다. 콘텐츠에 따라 가능한 많은 사람들이 보고, 조회수 높이기 그 자체가 목적인 경우도 있습니다. 그러나 콘텐츠는 타겟 고객에게 전달하는 메시지임을 명심해야 당신은 시간과 상대방의 시간을 낭비하지 않습니다.

제목에 어떤 가치를 제공할지 알려라.

제목은 광고를 위한 광고입니다. 사람들은 가장 먼저 제목을 보고 콘텐츠를 볼지 말지 결정합니다. 콘텐츠는 고객이 보자마자 자신에게 필요한 무엇인가 있는지 한눈에 알 수 있어야 합니다. 제목은 콘텐츠 내용을 정확히 말해야 합니다. 좋은 제목은 고객이 자신과 관련성을 느끼고 콘텐츠로 들어갈 가능성을 높입니다.

좋은 제목을 짓는 방법 예시입니다.

1. 문제해결 방법 제시하기

고객은 문제해결 방법을 찾기 위해 콘텐츠를 찾습니다. 문제 해결책을 알고 있다면 제목에서 그것을 말해야 합니다. <정부지원사업에 제출할 사업계획서에 피해야 할 것 7가지는?>, <겨울철 차 타이어 공기압이 낮아지는 걸 방지하려면?>, <러닝할 때 종아리가 아픈 현상을 방지하려면?> 내 제품이나 서비스가 문제 해결에 도움이 된다면 제목에서 그걸 밝혀야 합니다.

2. 정확히 무엇에 필요한 제품인지 요약하기

콘텐츠로 하기 쉬운 마케팅 활동은 제품이나 서비스가 무엇에 필요한지 알리기 입니다. 한 외국어 번역 행정사가 블로그에 <신뢰와 나눔의 행정사>란 글을 고정시켜 놓은 것을 보았습니다. 내용은 행정사는 국가공인자격증이며, 할 수 있는 일이 많다는 설명 이었습니다. 정보를 찾는 사람에게 끌리는 제목이 아닙니다. 제목에 <영어 번역과 번역확인서 발급>이라고 정확히 쓴다면 혼란없이 읽을 것입니다.

3. 바람직한 상태 알리기

<아이들이 좋아하는 야채 요리 만들기>라는 제목을 보면 그 글을 읽음으로써 더 좋은 엄마 또는 더 좋은 아빠가 될 수 있을 것 같은 생각이 듭니다. <기분이 좋아지고 따뜻해지는 선물 추천>이라는 제목을 보면

좋은 선물로 받는 사람을 기쁘게 만드는 걸 예상할 수 있습니다. 제품과 서비스로 고객이 무언가를 잘하도록 도와줄 수 있다면 그걸 사용하여 긍정적인 상태로 변화할 수 있다고 호소하는 방법입니다.

콘텐츠가 넘치는 세상에 살고 있습니다. 콘텐츠는 고객과 소통하는 효과적인 방법이지만 고객의 주의를 끌기는 점점 더 어려워지고 있습니다. 표적 고객을 주인공으로 설정하여 참여를 높일 수 있습니다. 제목은 정확하게 요약되어 있어야 혼란이 없습니다. 다른 마케팅 기법과 마찬가지로 콘텐츠도 조금씩 바꿔가며 반응을 시험함으로써 최적화하는 과정이 필요합니다.

5.스토리를 담은 콘텐츠

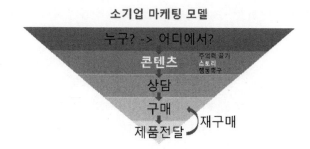

소기업 마케팅 모델

사람들은 신뢰보다 스토리를 좋아한다.

필자는 등산을 주제로 모인 단톡방에서 3 년째
활동하고 있습니다. 멤버들은 전국 각지에 살고
있습니다. 등산에 관련된 이야기보다 잡담을 더 많이
합니다. 멤버들끼리 가끔 실제로 만나서 등산도
다니고 꽤 친밀한 관계를 유지합니다. 필자는
운동하는 사람들을 연결하는 <운동 소확행>이란
앱을 개발하였습니다. 출시하자마자 단톡방에
알렸습니다. 멤버들은 모두 운동에 관심이 있기
때문에 관련성이 있으므로 다운로드하라고 과감히
요청했습니다. 10% 정도는 다운로드할 것으로
기대를 했습니다. 이전에 소비자조사 차원에서 운동
관련 온라인설문조사를 진행했을 때 10% 정도가
참여했었기 때문입니다. 150 여 명의 멤버 중 단
1 명이 다운로드하였습니다. 다운로드하겠다고

응답한 사람도 다운로드하지 않았습니다. 좌절감을 느꼈습니다. 단톡방에는 광고쟁이들이 가끔 들어와서 광고 링크로 소음을 만들기 때문에 사람들은 광고에 대한 경계심이 높습니다. 필자는 단톡방에서 오래 활동하였기 때문에 멤버들과 신뢰가 쌓였다고 착각하였습니다. 그러나 과감한 요청은 사람들의 행동을 유발하지 못했습니다.

다른 방법으로 다시 시도해 보았습니다. 생활 스포츠 지도사 자격증을 취득하려는 사람들이 모인 단톡방에 들어갔습니다. 관리자와 1:1 대화로 홍보를 해도 될지 물어봤습니다. 필자는 지도사 자격증을 이미 취득 하였다는 말로 관련성을 알리고, 앱을 만들게 된 동기를 설명하였습니다. 관리자는 홍보를 허락 했습니다. 이번에는 링크만 올리지 않았습니다. 관리자에게 했던 것보다 더 다듬어서 말했습니다. <앱을 개발하는데 1 년의 시간이 걸렸다. 지도사 자격증 취득 후 트레이너가 되면 잠재고객과 소통하는데 이 앱이 도움이 될 것이다. 무료이니 다운로드해 달라>는 요점에 글을 썼습니다. 이 단톡방에는 아는 사람이 한 명도 없었지만 이번에는 17 명이 다운로드하였습니다. 앱을 다운로드할 이익이 있다는 메시지를 만들어서 보내기로 17 배 높은 성과를 냈습니다. 아는 사람이라고 해도 단도직입적으로 무언가를 해달라는 말은 상대방을 성가시게 합니다. 스토리 구조의 메시지를 전달해야 합니다. 사람들은 광고는 싫어하지만 스토리를 싫어하는 사람은 없습니다.

문제는 커뮤니케이션 답은 스토리

자영업자 5 년 생존율이 26%라는 통계가 있습니다. 망하는 기업은 훌륭한 제품을 만들어내지 못했기 때문이라고 단정하기 쉽습니다. 그러나 소기업이 겪는 진짜 문제는 고객과의 커뮤니케이션입니다. 대기업 제품은 브랜드가 구축되어 있기 때문에 품질이나 교환/환불과 같은 서비스에 대한 우려가 적습니다. 대기업 제품은 고객이 지각하는 위험이 낮습니다. 반면 소기업 제품은 품질이 좋더라도 고객은 의심합니다.

고객이 소기업 제품을 사지 않는 이유는 다음과 같습니다. 제품이 어떻게 고객의 문제를 해결할지 알지 못합니다. 제품이 어떻게 고객의 삶을 더 낫게 만들지 이해하지 못합니다. 제품을 사용하면 어떤 만족감을 느낄지 상상할 수 없습니다. 어렵고 복잡한 제품설명보다는 스토리를 전달해야 하는 이유입니다. 스토리는 고객이 이해하기 쉽고 더 잘 기억합니다.

콘텐츠는 트로이 목마 같은 스토리가 있어야 합니다.

> 트로이 목마는 서양 최초의 서사시 일리아스에 포함된 스토리로 트로이와 그리스 간 전쟁이 주제입니다. 두 나라는 10 년간 전투를 벌였지만 승부가 나지 않았습니다. 그러자 그리스는 나무로

거대한 말을 만들고 병사들을 그 안에 숨겼습니다. 트로이는 목마를 도시 안으로 끌어들였습니다. 목마에 숨은 병사들이 밤 중에 밖으로 나와 성문을 열었고 그리스는 마침내 전쟁에서 승리하였습니다.

인간은 스토리로 세상을 이해한다.

할리우드의 로버트 맥키는 베스트셀러 작가입니다. 동시에 수많은 작가와 감독을 양성한 교육자입니다. 그의 저서 '스토리노믹스'에서 스토리 구조는 인간의 정신에 내재되어 있다고 말합니다. 스토리가 중요한 이유는 인간이 그것을 본능적으로 이해하기 때문입니다. 복잡한 사건도 스토리로 만들면 이해가 쉬워집니다. 사건을 통합하고 무의미한 것에서 의미를 도출하는 것이 스토리입니다. 인간은 스토리로 세상을 이해합니다. 복잡한 마케팅 자료는 잊어버리지만 스토리는 기억합니다. 스토리를 이용함으로써 고객과의 커뮤니케이션 효과를 높일 수 있습니다.

스토리 공식이 있다.

작가가 아닌데 스토리텔링을 할 수 있을까요? 로버트 맥키는 누구나 사용할 수 있는 스토리 공식을 제시합니다. 누구나 공식을 이해하고 실험하여서 자기 것으로 만들 수 있다고 말합니다. 16세기 아이작 뉴턴은 중력을 계산하기 위해 미적분을 개발하였습니다. 미적분의 원리를 스스로 알아내기 위해서는 뉴턴과 같은 천재성이 필요합니다. 그러나 요즘은 뉴턴이 풀었던 것보다 훨씬 어려운 미적분도 공식화된 덕분에, 고등학생도 몇 개월만 공부하면 배웁니다. 공식을 이용하면 누구나 스토리를 만들 수 있습니다.

로버트 맥키의 스토리 공식은 우리가 흔히 아는 <발단, 전개, 절정, 위기, 결말> 구조와 틀이 같습니다. 필자는 스토리 공식을 공부하고 나서 영화를 볼 때 어떻게 내용이 흘러갈지 열심히 예측하는 버릇이 생겼습니다. 그리고 대부분의 좋은 영화는 스토리 공식을 따른다는 것을 확인하였습니다. 흥미로운 점은 스토리 공식에 따라 예측이 되었음에도 불구하고 여전히 감동을 받습니다. 예컨대 '밀리언 달러 베이비'라는 영화를 보면서 나이 들고, 가난하고, 배신하는 가족을 둔 여성 복서와 외로운 노인의 배경 설정에서 진부하다고 느꼈습니다. 감동을 짜내기 위한 너무 극적인 상황설정입니다. 그리고 영화 중간에 알 수 없는 외국어를 반복하는 장면에서 결말에 그 뜻이 밝혀지겠구나라고 예상했습니다.

반전은 없었지만 영화를 보는 내내 딴생각을 못했습니다. 감독이 의도한 대로 영화가 끝날 때쯤에는 눈물까지 흘렸습니다. 훌륭한 스토리텔러들은 관객을 몇 시간씩 붙잡을 수 있는 공식을 이해하고 있습니다. 스토리는 관객의 주의력 을 붙들어두고 어떤 방향으로 끌고 나아갑니다. 아무도 보지 않는 마케팅 자료는 스토리가 없기 때문에 지루합니다. 읽는 사람을 어떤 방향으로 끌고 나아가는 스토리가 해결 방법입니다.

커뮤니케이션 목적이 기술 설명이든 인간적 관계형성이든 스토리는 효과가 좋습니다. 고객은 언제나 가장 좋은 품질과 화려한 기능의 제품을 선택하지 않습니다. 가장 저렴하거나, 배송이 빠른 제품만을 선택하지 않습니다. 고객은 많은 경우 자신이 잘 알고 이해하는 것을 선택합니다. 경쟁사의 제품 품질이 더 우수한 경우조차도 고객의 마음을 사로잡는다면 우리 제품을 선택하도록 만들 기회가 있습니다. 마음을 움직일 수 있는 것이 스토리입니다.

6.자화자찬 광고에서
스토리로

<우리 제품에 대해 듣고 싶어 하는 사람은 아무도 없다.> 차갑고 혹독하지만 마케터가 매일 직면하는 현실입니다. 그럼에도 불구하고, 사업주는 잠재고객에게 제품과 브랜드를 알리고, 브랜드를 믿음직한 조언자로 포지셔닝하는 과업을 수행해야 합니다. 지난 100 년 동안 광고로 이 과업을 해결했지만 광고의 효과는 점점 약해지고 있습니다.

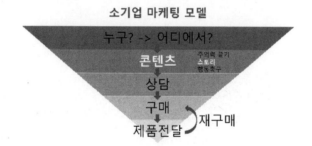

자랑만 늘어놓는 구직자, 경청하지 않는 면접관

구직자는 '나'라는 상품을 면접관들에게 팔아야 합니다. 신입 구직자는 학교에서 오로지 장점만 자세히 말하도록 훈련 받았습니다. 운이 좋아 열심히 들어주는 면접관을 만나면 상대방이 지칠 때까지

<나는 컴퓨터를 얼마나 잘 다루고, 유럽 배낭여행으로 인생 경험을 했고, 열심히 공부해서 전공지식도 많고, 이것, 이것, 이것까지 잘한다.>라며 말을 나열합니다. 경험이 적을수록 긍정적인 특징을 많이 나열하기에 급급합니다. 자랑을 늘어놓는 구직자에게 면접관의 마음은 이미 떠났습니다. 많은 면접관은 상대방의 단점을 찾아냅니다. 어떤 면접관은 구직자가 하는 말을 흘려 듣고 이력서를 보며 반박할 것을 생각하고 있을 것입니다. 경청할 줄 모르는 면접관을 탓하고 싶지만, 마케팅 자료를 보는 고객도 면접관과 비슷합니다. 사람들은 매사에 좋은 점과 나쁜 점이 있다는 걸 알고 있습니다. 좋은 점만 이야기하면 단점을 찾으려고 합니다.

양면광고와 단면광고

좋은 점만 나열 돼 있는 콘텐츠가 고객의 마음을 움직일 수 있을까요? 제품의 장점과 더불어 단점도 함께 제시하는 것을 '양면광고'라고 합니다. 예컨대 <우리 제품은 비쌉니다. 그러나 서비스는 최고 수준입니다.>라는 메시지를 전달합니다. 단점도 함께 말하는 것은 고객의 저항을 줄이는 효과가 있지만, 광고주들은 대게 비싼 돈을 지불해야 하는 광고에서 단점까지 밝히는 것을 허용하지 않습니다. 단점을 말할 때에도 그것은 이미 모든 사람들이 알고 있거나 그럴 거라고 짐작하고 있는 것만 제시합니다. 결과적으로 '양면광고' 보다 좋은 점만 제시하는 '단면광고'가 압도적으로 많습니다. 문제는 양면이던 단면이던 사람들은 점점 더 광고를 신뢰하지 않고 있습니다. 잠재고객은 면접관처럼 과장과 허풍을 찾아 반박하려고 합니다.

광고기법의 진화

<광고를 봐서 정말 다행이야>라고 말하는 사람이 있을까요?

2022 년 우리나라 기업들은 광고에 총 13 조 원을 쏟아 부은 것으로 추정됩니다. 그러나 잠재고객들은 광고를 피하는데 돈을 씁니다. 콘텐츠 소비 시간이 가장 많은 유튜브에서는 광고 없이 콘텐츠를 볼 수 있는 유료 서비스를 제공합니다. 사람들은 광고를 피하기 위해 기꺼이 지갑을 엽니다. 광고가 즐거움을 방해하기 때문입니다.

마케터는 사람들이 좋아하는 콘텐츠들 사이에 광고를 끼워 넣는 방식으로 고객의 저항을 이겼습니다. 수십 년 전에는 45 분 동안 방영되는 드라마의 처음과 끝에 광고를 여러 개 노출시켰습니다. 더 과감하게는, 관객이 드라마에 몰입하고 있는 순간에 즐거움을 끊고 광고를 노출시켰습니다.

간접광고

관객의 저항을 더 줄일 수 있는 기법은 드라마 안에 광고를 녹여내기입니다. 간접광고 (PPL: product placement)는 제품이 소품으로 등장하거나, 제품 사용 모습을 보여주고, 브랜드 이미지나 명칭을 스토리에 자연스럽게 녹여내는 방법입니다. 관객은 무의식 중에 제품과 브랜드를 학습합니다. 최초의 간접광고는 스티븐 스필버그 감동의 영화 E.T.로 알려져 있습니다. 이 영화는 스필버그 감독과 허쉬 초콜릿의 중대한 전환점이 되었습니다. 영화에서 주인공 엘리엇이 E.T. 를 유인하기 위해 초콜릿을 사용하는 장면을 보여 줍니다. 허쉬 초콜릿의 제품이었습니다. 많은 관객을 모으며 영화는 흥행에 성공했고 곧이어 허쉬 초콜릿의 매출은 300% 늘었습니다. 허쉬 초콜릿은 단 한 번에 광고로 환상적인 성공을 얻었고, 현재까지 전 세계 초콜릿 시장점유율 1 위를 유지하고 있습니다.

간접광고는 대놓고 하는 광고보다 효과가 좋습니다. 그러나 간접광고가 남발되자 2010 년 법으로 규제가 시행되었습니다. 방송법 제 59 조의 3 에서 '오락과 교양 분야에 한정하여 간접광고를 할 수 있다. 하지만 허용 대상 장르에 속한 프로그램 중 어린이 보도 시사 분야는 간접광고를 금지한다' 라고 정하고 있습니다. 법을 들먹이지 않더라도, 돈을 받고 광고를 하면서 그 사실을 밝히지 않으면 적어도 사회적 지탄을 받는 시대가 되었습니다. 관객을 기만한다고 보는 것입니다. 관객은 광고를 싫어하고 마케터는 필사적으로 자기 존재를 알려야 하는 딜레마가 있습니다. 어떻게 극복해야 할까요?

광고에서 스토리텔링으로

광고에서는 기업이나 제품의 특징과 우수성을 설명하고 여러 번 반복하여 메시지를 강제 주입합니다. 반면 콘텐츠 마케팅은 스토리를 이용합니다. 스토리는 고객에게 방해가 아니라 즐거움을 주고, 몰랐던 것을 알려주고, 긍정적인 감정을 갖도록 합니다. 좋은 콘텐츠는 잠재고객이 원하거나 필요로 하는 내용을 스토리로 전달합니다. 스토리는 사람들의 환영 받습니다.

광고를 봐서 정말 다행이야.

<광고를 봐서 정말 다행이야>하는 광고들이 드물게 존재합니다. 위생용품 브랜드인 도브가 그 예입니다. 도브는 2004 년 진정한 아름다움(Real Beauty)이라는 캠페인을 시작하였고, 역사상 가장 성공적인 마케팅 캠페인으로 손꼽히고 있습니다.

도브는 10 개 국가에서 3,000 명의 여성을 대상으로
설문조사를 하였습니다. 오직 2%의 여성만 자신을
아름답다고 여기는 당황스러운 통계결과가
나왔습니다. 도브는 여성들의 낮은 자아존중감
문제에 대처하고, 아름다움에 대한 새로운 관점을
일으키게 할 수 있음을 기회로 보았습니다.

캠페인은 우선 다양하고 현실적인 여성들의 이미지로
간판광고를 시작하였습니다. 기존의 뷰티산업이
제시하던 아름다움의 기준을 버렸습니다. 여성들이
자신감을 회복할 수 있도록 자극했습니다. 다른
뷰티산업 기업들이 제시하는 비현실적인 외모는
여성들이 성취할 수 없는 기준이었습니다. 도브는
다양한 여성들의 현실적인 몸매를 긍정적으로
제시함으로써 사람들을 기분 좋게 만들었습니다.

2013 년 '도브 진정한 아름다움 스케치'(Dove Real
Beauty Sketches)라는 동영상 광고로 캠페인을 이어
갔습니다.

큰 방에 길 자모라(Gil Zamora)가 앉아 있고, FBI 훈련을 받은 경찰 화가의 소개로 동영상이 시작됩니다. 다양한 여성이 한 명씩 방에 들어오고 커튼 뒤에 있는 화가에게 자신의 모습을 묘사합니다. 다음은 그 여성을 처음 보는 사람이 같은 화가에게 여성을 묘사를 합니다. 나중에 여성들은 다시 방으로 모입니다. 방에는 자신이 묘사한 초상화와 처음 본 사람이 묘사한 초상화가 나란히 걸려 있습니다. 우리는 자신의 초상화를 보고 반응하는 여성들의 모습을 봅니다. 다른 사람이 묘사한 나의 초상화가 실제모습에 가까웠고 더 매력적이었습니다. 마지막에는 하얀 배경에 <당신은 당신이 생각하는 것보다 더 아름답다.>라는 한 줄의 메시지로 끝납니다.

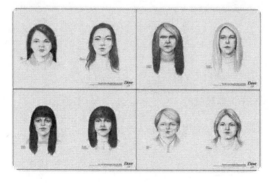

자기가 묘사한 초상화와 처음 본 사람이 묘사 초상화(출처 도브)

사회적 실험을 담은 이 동영상은 누적조회수 7,000 만 명을 기록했습니다. 다양한 나라의 사람들은 이 영상을 자발적으로 번역하여 퍼뜨렸습니다. 아름다움이 포토샵과 소셜미디어의 필터링된 사진으로 왜곡되고 있음을 일깨웠습니다. 여성들이 자기 자신에 대해 더 잘 알아야 한다는 깨달음을 주었습니다.

동영상에서 도브는 자사의 제품 특성이나 우수성에 대해 한마디도 하지 않았습니다. 대신에 보통 여성들의 스토리를 통하여 강한 감정적 반응을 일으켰습니다. 보는 사람들이 공유하도록 만들었습니다. 댓글에는 아름다움을 다른 관점에서 볼 수 있도록 만들어주어 고맙다는 의견이 대다수입니다. 잠재고객인 여성들이 광고에 고마움을 표현하고 있습니다. 그들은 도브에 호감을 가질 것이고 진열대에 있는 여러 브랜드 중에 도브를 선택할 가능성이 높습니다.

좋은 점만 말하는 광고에서 고객과 관련 있는 혜택을 전달하는 스토리로 방향을 잡았다면 콘텐츠 마케팅에 첫걸음을 내딛었습니다. 고객은 광고를 회피하지만 스토리는 공유합니다. 도브의 공유된 스토리는 브랜드 자체를 믿음직한 조언자로 포지셔닝 하였습니다. 사업주는 스토리텔링 기술을 갈고 닦음으로써 효과 있는 커뮤니케이션을 하고, 수요를 창출하고 잠재 고객을 확보할 수 있습니다.

7.스토리 구조의
마케팅 자료

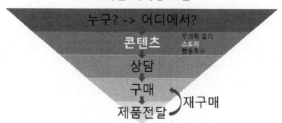

소기업 마케팅 모델

사업주는 운영을 위해 다양한 지식이 필요합니다. 세무, 회계, 법률, 유통, 원가절감과 같은 요소들은 대게 정해진 규칙과 최선의 답이 있습니다. 그러나 마케팅은 정해진 것이 없고 불확실성이 높은 활동입니다. 특히 콘텐츠 만들기는 창작의 영역이기 때문에 창의성이 요구됩니다. 다행히도 스토리텔링 전문가인 로버트 맥키는 창의성보다 스토리 구조를 이해하는 것이 중요하다고 말합니다. 스토리 구조는 <시작-중간-끝>을 넘어섭니다. 스토리 구조로 마케팅 자료를 만들면 상대방이 이해하고 기억하기 쉽습니다.

스토리 포물선을 그려라.

로버트 맥키는 필수적인 핵심 사건으로 <갈등이 삶을 바꾼다.>가 스토리라고 하였습니다. 주인공에게 생기는 갈등은 주인공과 관객을 흔들어 놓으며 긴장감을 조성합니다. 문제 해결을 위한 주인공의 행동으로 긴장감이 고조되다가, 갈등이 해결되면 긴장감이 썰물처럼 빠져나갑니다. 스토리의 긴장감을 시각화 하면 오른쪽으로 기울어진 포물선을 그립니다.

콘텐츠를 만들기 막막할 때 스토리 포물선을 그려보는 것이 도움이 됩니다. 관객은 주인공이 어떻게 갈등을 해결하는지 의문을 품습니다. 성공할 것인가? 실패할 것인가? 주인공이 갈등을 해결하려고 애쓰며 생기는 긴장감이 관객을 몰입시킵니다. 스토리포물선 구조는 관객이 중간에 떠나지 않도록 만듭니다.

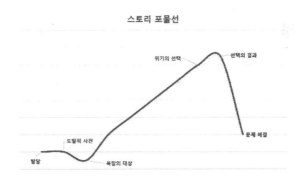

스토리 포물선

스토리 구조

다음은 로버트 맥키가 제시하는 스토리 구조의 7 단계입니다.

1. 발달:- 주인공과 시공간의 배경이 설정됩니다. 이야기가 시작될 때 주인공의 삶은 안정적입니다. 핵심 가치의 균형이 유지되고 중립적인 상태입니다.

일상생활에서 '가치'라는 용어는 사랑, 관용, 성실과 같은 긍정적인 값을 말합니다. 스토리 창작에서 '가치'는 진실/거짓, 사랑/증오, 관용/이기심, 성실/태만, 충성/배신, 삶/죽음, 성숙/미성숙, 공정/부당과 같은 양면성을 가진 값들을 말합니다. 스토리는 핵심 가치가 반드시 있어야 의미와 감정이 연결됩니다.

마케팅 자료:- 고객에게 어떤 가치의 메시지를 정할지 결정해야 합니다.

2. 도발적 사건:- 도발적 사건은 주인공의 삶의 균형을 깨뜨리고 스토리에 시동을 겁니다. 핵심 가치가 긍정이나 부정으로 급격히 바뀝니다. 도발적 사건은 사회적 사건일 수도 있고, 조용한 내면의 사건의 일수도 있습니다. <복권에 당첨되기>와 같이 우연일 수도 있고, <창업을 하기 위해 회사 사퇴하기>와 같이 주인공의 의도적 결정일 수도 있습니다.

마케팅 자료:- 고객이 겪는 문제를 콕 짚어줍니다.

3. 욕망의 대상:- 도발적 사건으로 주인공은 자기 삶의 균형을 잃습니다. 위기에 빠졌다고 직감하는 순간 다시 삶의 안정 회복을 원합니다. <욕망의 대상>은 자기 삶의 균형을 되찾기 위해 반드시 확보해야 한다고 느끼는 무엇입니다.

마케팅 자료:- 고객이 원하는 바람직한 상태를 말합니다.

4. 첫 번째 행동:- 삶의 균형을 회복하기 위해 행동을 합니다. 욕망하는 대상을 손에 넣거나 적어도 가까워지기 위한 전술입니다.

마케팅 자료:- 고객이 문제를 해결하고 원하는 것을 얻기 위해 취할 수 있는 시도를 말합니다.

5. 첫 번째 반응:- 현실은 주인공의 기대를 위반합니다. 주변 세계로부터 도움을 받기는 커녕 더 강력한 적대 세력이 나타나 그의 노력을 가로막습니다. 예상치 못한 반응은 주인공과 그의 목표 사이의 거리를 한층 더 벌려 놓습니다. 장편 스토리는 욕망을 향한 행동과 반응이 여러 번 반복됩니다.

마케팅 자료:- 고객은 여러 가지를 시도를 해보지만 성과가 없습니다.

6. 위기의 선택:- 주인공은 첫 번째 반응에서 얻은 교훈으로 다시 노력합니다. 두 번째 행동은 자신이 원하는 것을 얻게 해 주리라는 기대를 합니다.

마케팅 자료:- 고객은 당신이 제공하는 제품/서비스를 시도합니다.

7. 절정의 반응:- 두 번째 행동이 그의 기대에 부응하여 절정의 반응을 이끌어 냅니다. 주인공은 욕망의 대상을 손에 넣습니다.

마케팅 자료:- 고객이 원하는 것을 성취합니다.

스토리 구조로 영화 분석하기

<스탈린이 죽었다>는 실화를 바탕으로 한 블랙코미디 영화입니다. 절대권력을 휘두르던 스탈린이 갑자기 죽자 권력을 향한 치열한 암투가 벌어집니다. (결말을 담고 있습니다.)

1. 발달:- 1953년 어느 날이며 스탈린은 베리야, 흐루쇼프, 말렌코프, 몰로토프와 식사를 하고 영화를 보고 있습니다. 흐루쇼프는 쉴 새 없이 농담하고, 몰로토프는 영화를 보며 졸고 있습니다. 눈치 없는 말렌코프는 이미 숙청당한 사람의 이름을 꺼냅니다. 그러자 스탈린이 '너도 똑같은데 보내줄까?'라고 위협합니다. 그 와중에 베리야는 그날 처형될 사람들의 명단에 서명하고 구체적인 처형법까지 지시합니다. 돌아갈 때 몰로토프가 먼저 떠나고 베리야는 흐루쇼프와 말렌코프에게 몰로토프가 숙청대상이 되어 더 이상 볼 수 없을 것이라고 말합니다.

모두가 두려워하는 한 남자, 스탈린을 중심으로 베리야, 흐루쇼프, 말렌코프, 몰로토프 4명이 스탈린에게 충성심을 인정받으려고 애쓰는 걸 알 수 있습니다. 핵심가치는 권력을 중심으로 한 충성/배신 또는 승리/패배입니다.

2. 도발적 사건:- 같은 시간 라디오 모스크바에서 피아노 연주회가 끝났습니다. 스탈린이 연주회 녹음본을 가져오라고 지시합니다. 피아니스트 마리아 유디나는 스탈린을 위해 다시 연주하기 싫다고 말합니다. 방송 담당자는 마리아에게 거금을 주고, 관객을 채운 뒤 다시 연주합니다. 녹음본이 완성되자 마리아는 쪽지도 함께 전달합니다. 스탈린에 의해 가족이 모두 처형당한 마리아는 스탈린을 비난하는 쪽지를 썼고, 이를 받아본 스탈린은 기가 막힌 듯 웃다가 뇌졸중으로 바닥에 쓰러집니다. 문 앞에서 보초를 서는 군인들은 스탈린이 쓰러지는 소리를 들었지만 두려워서 감히 들어가지 못하고, 다음날 식사를 가져온 하녀에 의해 발견됩니다.

3. 욕망의 대상:- 베리야는 비밀경찰(NKVD)의 수장으로 고문을 하다가 소식을 듣고 제일 먼저 스탈린에게 도착합니다. 스탈린의 금고를 열고 비밀문서들을 챙깁니다. 그다음 부서기장 말렌코프가 현장에 도착합니다. 눈치가 빠른 흐루쇼프는 급하게 달려가는 말렌코프를 보고 세 번째로 도착합니다. 곧 장관 몇 명이 더 도착하였고 스탈린은 죽었습니다. 절대권력 스탈린이 죽자, 베리야는 '뒤는 나에게 맡기쇼'라고 중얼거립니다. 부서기장인 말렌코프는 법에 따라 자신이 스탈린의 권한대행을

시작합니다. 2 인자가 분명하지 않은 상태에서 베리야, 말렌코프, 흐루쇼프는 권력에 대한 강한 욕망을 보입니다.

4. 첫 번째 행동:- 스탈린이 가장 아끼던 딸 스베틀라나가 도착합니다. 베리야와 흐루쇼프는 누가 먼저 스베틀라나에게 도착하는지 경주를 하였고, 베리야가 먼저 스베틀라나를 끌어안으며 위로합니다. 베리야는 스탈린이 죽은 별장의 인원들을 모두 죽입니다. 자기편을 늘리기 위해 베리야는 몰로토프의 아내 폴리나를 풀어주며 환심을 삽니다. 권한대행을 맡은 말렌코프는 베리야와 권력을 나누고, 흐루쇼프는 본인이 하기 싫다는데도 스탈린의 장례식 위원장을 시킵니다. 베리야는 열차의 운행을 멈추고 모스크바를 봉쇄하며 사람들을 통제합니다.

5. 첫 번째 반응:- 장례식이 시작되기 전에 주코프가 도착합니다. 주코프는 독소전쟁 영웅으로 기드름을 피웁니다. 주코프는 베리야에게 왜 스탈린의 장례식에 붉은 군대를 배제하고 모든 것을 마음대로 하느냐고 따지고는, 나치를 무찌른 전쟁이야기로 자신을 과시합니다. 장례식이 시작되자 베리야가 초대한 주교들이 들어오며 모두의 심기를 건드립니다. 베리야는 비밀경찰로 다른 사람들의 약점을 갖고 있었습니다. 흐루쇼프는 마리아와 친분이 있다는 것으로 위협하고, 몰로토프는 처형 명단에 올랐었는데 빼주며 환심을 사고, 눈치 없는 말렌코프는 뒤에서 조종합니다.

6. 위기의 선택:- 위기를 느낀 흐루쇼프는 봉쇄된 모스크바 열차의 운행을 재개합니다. 운행재개 연락을 못 받은 베리야의 부하들은 조문객들에게 발포하였고 1,500 명의 사망자를 냅니다. 참사의 책임을 놓고 흐루쇼프와 베리야는 서로를 비난합니다. 흐루쇼프는 이 참사를 명분으로 베리야를 제거하자고 주코프에게 제안합니다. 주코프는 베리야가 붉은 군대를 간섭하는 것에 불만이 있었기 때문에 흔쾌히 찬성합니다. 흐루쇼프는 장관들을 설득하는 데에도 성공합니다. 그러자

베리야는 장관들이 모인 곳에 들이닥쳐 각자의 약점이 적힌 비밀문서를 이용하여 한 명 한 명 협박합니다.

7. 절정의 반응:- 다음 날 흐루쇼프는 베리야를 규탄하고, 대기하고 있던 주코프는 직접 베리야를 체포하며 동시에 붉은 군대는 비밀경찰을 무력화시킵니다. 말렌코프는 베리야가 재판을 받아야 한다고 주장하지만 흐루쇼프에 의해 강제로 베리야의 처형에 서명합니다. 흐루쇼프와 장관들은 베리야가 반소련 음모를 꾸미고 347건의 강간 혐의로 사형을 선고합니다. 베리야는 목숨을 구걸하지만 주코프가 직접 총살합니다. 흐루쇼프는 스베틀라나에게 비엔나로 갈 것을 통지합니다. 처음에 스베틀라나에게 경쟁들이 달려들었던 것과는 반대되는 행동으로 흐루쇼프는 더 이상 무서운 것이 없어 보입니다. 마리아가 라디오 모스크바에서 다시 연주하는 모습이 나오고, 흐루쇼프는 높은 관객석의 중앙에 앉아 1인자가 되었음을 보여줍니다. 그때 송충이 눈썹을 가진 한 남자가 흐루쇼프의 바로 뒷줄에 앉아서 의미심장한 눈빛으로 흐루쇼프를 쳐다보며 영화는 끝납니다.

고객의 문제해결 필요성과 해결 방법 제시

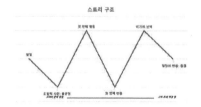

영화는 2인자가 불명확한 상황에서 1인자 스탈린이 쓰러지자 충성/배신의 가치 균형이 깨집니다. 삶에 균형이 깨진 핵심인물들은 가치를 회복하기 위한

169

행동을 시작합니다. <권력에 대한 욕구>는 관객이 떠나지 않도록 붙잡아두는 원동력이 됩니다. 만약 2인자가 정해져 있고 인물들 간 욕구의 충돌로 갈등이 없었더라면 스토리가 되지 못했을 겁니다. 영화 초반에 흐루쇼프는 말 많은 코믹한 인물로 묘사되지만, 베리야는 사람들을 고문하고 처형을 지시하는 잔인성만 묘사됩니다. 관객은 대게 베리야보다 흐루쇼프의 욕구에 공감하게 됩니다. 주인공이 반드시 호감형일 필요는 없습니다. 그러나 관객의 공감은 얻을 수 있어야 합니다. 처음에는 흐루쇼프가 베리야보다 한 발씩 늦지만, 위기의 순간에 주코프와 음모를 꾸며 성공시킵니다. 베리야가 죽자 흐루쇼프가 1인자로 올라서며 충성/배신의 가치는 다시 균형을 찾습니다. 마케팅 자료에서도 고객의 욕구를 건드리고 공감을 얻어야 합니다.

주인공-시련-해결

마케팅 콘텐츠는 비교적 짧은 시간에 고객에게 핵심만 전달해야 하는 경우가 많습니다. 로버트 맥키의 스토리 구조를 단순화하면 <주인공-시련-해결> 3가지로 압축됩니다. 스토리텔링을 하는 마케팅 메시지는 이 세 가지 요소를 갖추고 있어야 합니다.

(1) 주인공

당신은 믿음직한 조언자로 고객이 겪는 문제를 해결해야 합니다. 마케팅 자료에 당신을 주인공으로 설정할 경우 자랑만 늘어놓는 광고가 됩니다.

비듬샴푸 니조랄의 광고 문구입니다. <평생 비듬에 시달렸다면, 이제는 니조랄로. 진짜 당신의 모습을 보여주세요. 비듬이라는 꼬리표를 떼자, 니조랄과 함께> 이 문구에서 주인공은 비듬이 있는 사람입니다. 즉 잠재고객입니다. 니조랄을 사용하면 고객이 비듬을 해결하고 자신 있고 당당해질 수 있다는 메시지를 담았습니다.

만약 문구가 다음과 같았다면 어땠을까요? <니조랄은 케토코나졸 성분이 들어가서 비듬 및 기타 피부질환 개선에 도움을 주는 일반의약품이다.> 고객에게 혜택이 되는 것을 구체적으로 명확하게 짚어 주는 장점이 있습니다. 그러나 고객은 덜 공감할 것입니다. 주인공을 고객이 아닌 브랜드(니조랄)로 설정했기 때문입니다.

(2) 시련

재미있는 스토리에서는 주인공이 성취하려는 욕망을 막는 적이 있습니다. 스파이더맨은 초능력을 가진 악당과 싸웁니다. 죄와 벌의 라스콜리니코프는 비범한 사람이 되고 싶어 노파를 살해하였지만 내면의 갈등으로 자신의 자아의식이 가장 큰 적입니다. 마션에서는 마크 와트니가 홀로 화성 남겨져서 생존을 위해 분투하며, 척박한 자연환경 자체가 적입니다. 적이 명확하지 않으면 관객의 공감을 얻기 힘듭니다. 또 다른 예로 2차 세계대전을 배경으로 하는 다수의 전쟁영화들입니다. 1차 세계대전은 누가 선이고 누가 악인지 불분명합니다. 히틀러가 수백만 명을 살해한 악당이라는 사실은 누구나 알고 있기 때문에 2차 세계대전은 적이 분명합니다. 적이 분명하기 때문에 관객이 쉽게 공감합니다.

케이카는 중고차플랫폼으로 정우성과 이정재를 광고 모델로 내세우고 있습니다. 중고차를 사려는 고객들은 허위매물에 속기 일쑤고, 침수된 차를 비싸게 사는 사기행위를 판별해야 하고, 조직적으로 활동하는 딜러와 흥정해야 해야 합니다. 중고차 고객은 중고차 판매자라는 적과 싸워야 하는 시련을 겪어야 합니다. 케이카 광고는 앱을 통하여 배송·결제·환불까지 온라인 비대면으로 차를 살 수 있다는 점을 강조합니다. 케이카는 중고차를 사기 위한 고객의 시련을 줄이고, 그 댓가로 더 높은 비용을 청구합니다.

마케팅 자료는 고객의 문제를 정확히 짚어주어야
합니다.

(3) 해결

주인공인 고객이 겪는 시련을 정확히 짚어주었다면
해결책을 제시하여야합니다. 당신이 고객의 시련을
해결할 수 있는 적임자라고 알립니다. 니조랄 광고는
고객이 비듬으로 불청결해졌다고 느끼는 문제를
브랜드(니조랄)가 해결하고 고객은 자아존중감을
회복할 수 있다고 말합니다. 케이카 광고에서는
고객이 중고차를 사야 할 때 겪어야 하는 골치 아픈
문제들을 브랜드(케이카 앱)로 해결할 수 있다고
말합니다. 좋은 스토리는 해법이 명확합니다. 고객이
브랜드를 구매함으로써 자신의 문제를 해결하는
모습을 상상할 수 있어야 합니다.

마케팅 자료는 고객을 주인공으로 설정할 때 공감을
얻기 쉽습니다. 고객이 무엇을 욕망하고 필요로
하는지 분석하고, 그것을 성취하는데 방해가 되는
시련을 표출시켜야합니다. 브랜드는 고객의 문제를
해결할 수 있는 조언자로 포지셔닝하는 것이
바람직합니다. <주인공-시련-해결>의 스토리
구조로 마케팅 자료를 만들어 고객의 공감을 얻을 수
있습니다. 3

8.동기와 결정적 계기 행동촉구

소기업 마케팅 모델

스토리 구조에 따라 잠재고객을 주인공으로 설정하고, 잠재고객이 겪는 문제를 콕 짚어주고, 문제의 해결방법을 제시하였다면 상대방과 공감대가 생겼 생겼습니다. 상대방에게 행동을 촉구할 차례입니다. 상대방이 구매하길 원한다면 구매하라고 촉구해야 합니다.

상대방이 당신의 이메일을 읽었거나, 웹사이트에 들어왔거나, 팸플릿을 읽고 무엇이 요점인지 알 수 없고 헷갈리면 안 됩니다. 아무런 요청도 없으면 상대방은 이런 의문을 갖습니다. <날더러 어쩌라는 거지?> 마케팅 콘텐츠는 상대방에게 원하는 행동을 이끌 어내는 수단입니다. 역방향으로 콘텐츠를 설계해야 합니다. 먼저 잠재고객이 하길 원하는 행동을 정하고 콘텐츠를 설계합니다. 콘텐츠의 끝은 행동촉구입니다.

고객은 동기와 결정적 계기가 있어야 움직인다.

어떤 스토리에서도 주인공은 자발적으로 행동을 취하지 않습니다. 행동을 개시하려면 동기 (Motivation)와 결정적 계기(Trigger)가 있어야 합니다.

· 영화 <스탈린이 죽었다>에서 흐루쇼프가 뜬금없이 권력의 일인자가 되기로 했다면 관객은 실망했을 겁니다. 절대권력 스탈린이 쓰러지자, 베리야가 비밀문서를 이용해 위협했기 때문에 흐루쇼프가 대항하는 행동을 시작하였습니다. 일인자가 되려는 권력에 대한 욕망이 동기이며, 스탈린의 죽음이 흐루쇼프에게 행동을 시작하게 만든 결정적 계기가 되었습니다.

· 무라카미 하루키는 인생 회고록에서 소설가가 된 계기를 이렇게 설명합니다. <1978년 4월 1일, 메이지 진구 구장에서 프로야구 개막전을 관람하고 있었다. 1회 말 요구르트 스왈로즈의 선발 타자 데이브 힐턴이 좌측으로 안타를 쳤다. 힐턴이 1루를 돌아 2루를 밟았을 때 '그렇지, 소설을 써보자'라는 생각을 떠올렸다.> 설령 문학적 은유일지라도 재즈카페를 운영하던 하루키가 어떻게 소설가가

되었는지 설명 하는 계기 덕분에 독자들은 하루키에 공감할 수 있습니다.

가만히 있는 사람은 관성의 법칙에 의해 계속 가만히 있으려고 합니다. 잠재고객이 구매하기를 원한다면 구매하라고 말해야 합니다. 스토리로 브랜드가 고객의 문제를 해결하는데 도움이 된다고 제시하였다면 잠재고객은 구매 동기가 생겼습니다. 다음은 <구매하세요!>라는 말로 결정적 계기를 만들어야 합니다.

결정적 계기(Trigger)

결정적 계기(또는 트리거)는 사람들이 무엇인가 생각하거나, 말하거나, 행동을 하도록 만드는 것을 뜻하는 용어입니다. 영업사원들은 고객이 우리 제품을 좋아하게 만들려고 애씁니다. 고객이 영업사원을 좋아하면 좋아할수록 제품을 더 많이 살 것이라고 생각합니다. 그러나 고객이 구매할 때는 제품을 좋아하는 것과 별개로, 그것에 대한 생각을 떠올릴 수 있는지 여부가 중요합니다. 예컨대 동네에 좋아하는 이탈리안 레스토랑이 있다면 좋아하는 스파게티를 먹기 위해 그곳으로 갈 것이 확실합니다. 그러나 외식을 해야겠다고 마음먹었을 때, 그 레스토랑이 가장 먼저 떠오르지 않으면 결국 다른 음식점에 가게 됩니다. 필요할 때 그것을 떠올릴 수 있는 결정적 계기가 없다면 행동으로 이어지지 않습니다.

다음은 심리학자들이 수행한 소비자행동 연구입니다.

> 식료품점에서 어느 날은 프랑스 음악을 틀고, 다른 날은 독일 음악을 틀었습니다. 결과는 프랑스 음악을 틀은 날은 프랑스 와인이 많이 팔리고, 독일 음악을 틀은 날은 독일 와인과 독일 맥주의 판매량이 늘었습니다. 왜 그럴까요? 음악은 사람들이 좋아하는 와인 취향을 바꾸지 않았습니다. 음악은 사람들이 그것을 구매하도록 상기시켰을 뿐입니다. 식료품을 구매하러 온 소비자는 프랑스 음악을 들으며 식료품점을 돌다가 프랑스 와인을 한번 확인하였을 것입니다. 그것이 행동을 취하게 하는 결정적 계기가 되었습니다.

매일 달리기를 하는 목표를 세웠는데 어떻게 습관을 만들 수 있을까요? 우선은 러닝화를 눈에 띄는 곳에 두어서 결정적 계기를 자주 만들어야 합니다.

행동 촉구

지금 바로 전화하세요! 홈쇼핑 방송에서는 같은 말을 반복합니다. 쇼 호스트는 행동을 촉구하고 있습니다. TV 앞에 앉아 있는 잠재고객은 구매를 망설입니다. 과감하게 요청하지 않으면 잠재고객은 구매를 뒤로 미룹니다. 효과적인 콘텐츠는 사람들을 헷갈리게 하지 않습니다. 장황한 이야기를 늘어놓기만 하고 무엇을 하라고 분명히 말해주지 않으면 고객은 헷갈립니다. 의미 있는 커뮤니케이션은 행동을 요청할 때 시작됩니다.

행동촉구는 <등 떠밀기>나 <옆구리 찌르기>로 할 수 있습니다. <등 떠밀기는> 바로 구매하라거나, 개인적 정보와 연락처를 요청하기입니다. 고객이 준비되어 있다고 판단되면 적극적으로 등 떠밀어야 합니다.

<등 떠밀기> 예시

- 지금 전화하세요.
- 지금 방문하세요.
- 바로 등록하세요.
- 지금 구매하세요.

<옆구리 찌르기>는 브랜드가 잠재고객과 더 신뢰를 쌓아야 할 때 필요합니다. 소기업이거나 신생 브랜드로 먼저 인지도를 높여야 할 때 또는, 제품이 매우 복잡하고 고객이 고려해야 힐 속성이 많을 때에는 쉬운것부터 요청해야 합니다. 옆구리 찌르기로 고객이 영업 깔때기의 아래로 내려오도록 유도합니다.

<옆구리 찌르기> 예시

- 이메일:- 당신이 바쁜 걸 압니다. 그러나 당신에게 도움이 될 [고객이익]에 관한 뉴스를 가져왔습니다.

· 티저광고:- 더 자세한 내용을 알고 싶다면
웹사이트에 방문하세요.
· 고객증언:- 수강생의 합격수기를
들어보세요.(자격증 학원)
· 체험:- 맛보고 가세요.(식자재 마트), 직접 운전해
보세요.(자동차 판매점)

콘텐츠는 그 자체가 결정적 계기가 될 수 있습니다.
그러나 분명한 요청 한 마디는 고객을 헷갈리게 하지
않으며 결정적 계기를 강화합니다.

당신이 콘텐츠를 열심히 만드는 목적은 고객이 그
콘텐츠를 보고 어떤 행동을 하길 바라기 때문입니다.
<주인공-시련-해결>의 스토리 구조로 브랜드가
고객의 문제를 해결하는데 어떻게 도움이 되는지
전달하였다면, 다음은 무엇을 해야 할지 알려줘야
합니다. 고객은 혼란을 싫어하고 분명함을
좋아합니다. 분명하게 행동을 촉구하면 고객이
무엇을 해야 할지 헷갈리지 않습니다. 영업 깔때기
분석에 따라 고객이 구매할 준비가 되어 있다면
과감하게 <등 떠밀기> 식으로 촉구합니다. 고객에게
더 많은 정보를 제공하고 관계를 만들 필요가 있을
때는 <옆구리 찌르기>식으로 진행하라고 촉구합니다.

9.구매를 이끌어내는
상담 5 단계

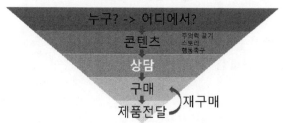

콘텐츠를 보고 누군가 당신 사무실을 방문하였습니다. 가격을 알아보기 위해서일 수도 있고 이미 구매를 하려고 마음먹고 왔을 수도 있습니다. 직접 방문 하였다면 적어도 제품이나 서비스가 필요한 잠재고객 이므로 적극적인 노력으로 구매고객으로 전환해야 합니다. 만약 상대방이 길을 가다가 간판을 보고 우연히 들어온 경우라면 사전지식이 없기 때문에 긴 프레젠테이션이 필요할 수도 있습니다. 그러나 콘텐츠를 보고 왔다면 비교적 적은 노력으로도 상대방의 구매결정을 이끌어 낼 수 있습니다.

서로 원하는 것을 합의하려면

고객상담은 문제해결을 위해 서로 의논하는 과정입니다. 섣불리 짐작하지 말고 질문으로 고객의 진짜 문제와 우려를 알아내는 것이 중요합니다. 상대방이 다짜고짜 <가격이 얼마예요?>라고 물어본다면 어떻게 대응해야 할까요? 상대방에게 무엇을 원하는지 되물어야 합니다. 예컨대 당신이 외국어 번역 행정사이고 상대방은 수출 문서를 번역하기 위해 번역과 공증이 필요한 경우입니다. 번역해야 할 문서의 난이도가 어느 정도인지, 어디에 쓸 건지, 언제까지 해야 하는지를 명확히 해야 합니다. 상대방이 원하는 가치와 내가 제공할 수 있는 가치를 합의한 후에야 그에 따른 가격을 제시할 수 있습니다. 질문 위주로 정보를 얻고 서로 원하는것을 합의하는데 초점을 두어야 합니다.

고객을 가르치지 말고 질문하라.

상대방의 생각을 물어보는 것은 일반적으로 아무런 비용도 들이지 않으면서 당신에게 큰 이득을 가져다줍니다. 질문하기의 첫 번째 장점은 상대방의 생각을 물음으로써 존중을 나타냅니다. FBI 인질협상 전문가인 크리스 보스에 따르면, 질문하기는 상대방과 신뢰를 형성하는데 필수입니다. 질문을 받으면 개인적인으로든 사업적으로든 상대방이 나에게 관심이 있다는 것을 알게 됩니다. 질문을 이용한 소통으로 생산성 있는 협업관계를 구축하게 됩니다. 두 번째 장점은 정보를 효과적으로 얻을 수 있습니다. 의욕 넘치는 영업사원들은 제품과 상대방에 대해 이미 잘 알고 있다고 편견을 갖고 대화하는 실수를 저지릅니다. 상대방과 관련 없는 것을 이야기하면 대화가 매끄럽게 이어지기 어렵습니다. 질문으로 상대방이 진짜로 원하는 것과 걱정하는 것이 무엇인지 알아낼 수 있습니다. 좋은 질문은 정보를 얻고, 상대방과 신뢰를 형성하고, 구매를 이끌어 냅니다.

잘 들어라.

전화를 걸어서 상품을 판매하려는 영업사원들은 ABCD 스크립트를 가지고 있습니다. A 를 말하고 B, C, D 를 차례로 말하고 Y 계약을 성사시킵니다. 여러 번 하다 보면 스크립트를 외우게 됩니다. 이런 방식을 콜드콜(cold call)영업이라고 합니다. 스크립트는 정교하게 만들어지지만 콜드콜의 성공 확률은 낮습니다. 사람들은 자기와 관련이 없다고 느끼면 상대가 아무리 청산유수처럼 말을 하더라도 방해로 생각하고 거절합니다.

좋은 상담자는 상대방의 말을 잘 듣고 제각각의 요구사항을 파악합니다. 잠재고객에 따라 A 를 말하고

F를 말하고 Y로 갈 수도 있습니다 A, B, C, D를 차례로 말하고 Z로 가야 할 수도 있습니다.

잘 듣는 방법은 상대방이 하는 말을 요약하는 것입니다. 상대가 한 말을 요약해서 말하고 빠뜨린 것은 없는지 피드백을 요청함으로써 건설적인 대화를 할 수 있습니다.

구매결정을 이끌어내는 상담 5단계

1 나는 무엇을 원하는가?

당신은 상담 할 때 고객에게 자신감 있고 신뢰할 수 있는 사람이라는 인상을 주고 싶어 합니다. 그런 인상은 실제로 좋은 결과를 가져옵니다. 어떻게 그런 상담자가 될 수 있을까요? 그 답의 첫걸음은 자신의 욕구를 정확히 파악하는 것입니다. 자신의 진정한 욕구를 바탕으로 정확한 목표를 정해야 합니다. 자신에 욕구에 충실한 목표를 가지면 추진력과 자신감이 생깁니다.

자신의 욕구를 정확히 파악하지 않으면 그저 <돈을 벌겠다.> 또는 <상담해서 꼭 계약을 체결해야 겠다.>와 같은 낮은 수준의 목표만 갖습니다. 상대방이 무조건 사도록 만들어야 겠다는 생각은 상대방이 그 의도를 쉽게 알아차립니다. 무조건 팔아야 겠다는 당신을 궁핍해 보이게 만듭니다.

궁핍해지면 자신의 가치를 제대로 주장할 수 없습니다.

> 한 행정사는 자격증을 취득하자마자 어렵게 개업을 하였는데 막상 고객이 찾아오는 것이 두려웠다고 합니다. 행정사는 행정기관에 제출하는 서류와 관련된 광범위한 문제를 처리할 수 있습니다. 그만큼 고객은 매우 다양한 문제로 찾아옵니다. 이 행정사는 자신이 모르는 걸 의뢰받으면 자신이 초보이고 의뢰를 받을 수 없을까봐 두려웠습니다. 심지어는 사무실 문을 걸어 잠그고 불을 끄는 경우도 있었다고 합니다.

고객을 마주할 수 없는 자신감 부족의 가장 큰 원인은 자기 자신을 잘 모르기 때문입니다. 자기 자신이 궁극적으로 뭘 원하는지 고민해보지 않았기 때문입니다. 자신이 뭘 할 수 있고, 뭘 할 수 없는지 이해해야 합니다. 사업을 위해서 원하지 않는 고객과 마주할 때도 있습니다. 당신이 무엇을 원하고 목표로 하는지 알고 있을 때, 당신의 정당한 가치를 주장할 수 있습니다. 그리고 공정하지 못한 고객은 거절할 수 있습니다.

나는 무엇을 원하는가? 는 가장 중요하고 어려운 질문입니다. 대답을 숙고해야 합니다. 상담을 하다가 물러나야 할지, 아니면 더 과감하게 행동을 요구해야 할지 알 수 있는 방법은 자신의 욕구를 명확히 정의하고, 목표를 잊지 않는 것입니다.

다음은 자신감 있는 상담을 위해 꼭 필요한 질문 두가지입니다.

나는 이 [사업 / 직업 / 일]으로 무엇을 얻으려는 것인가?

나는 상대방에게 어떤 가치를 제공할 수 있는가?

2 고객은 무엇을 원하는가?

고객은 자신의 문제를 해결하기 위해 무엇인가를 구매합니다. 고객의 문제 해결에 적합한 제품이나 서비스를 추천해야 합니다. 법률, 경영컨설팅, 디자인 같은 서비스업은 사업가가 제공할 수 있는 가치와 고객이 원하는 수준의 가치를 합의하는 절차가 필수입니다. 소통이 부족한 상태로 계약을 맺으면 고객은 생각했던 것과 다른 결과물을 얻고 실망하고 분쟁이 생길 여지가 있습니다.

무엇을 원하는지 말해주세요 는 열린 질문입니다. 때때로 고객의 진짜 문제는 당신이 생각하는 것과 다릅니다. 열린 질문의 장점은 고객의 요구뿐 아니라 욕구도 알 수 있다는 점입니다. 상대방이 구매를 고려하며 사무실까지 방문하더라도 원하는 것이 구체적이지 않을 수 있습니다. 열린 질문은 고객이 말하며 스스로 생각을 정리하고 원하는 것을 구체화할 수 있도록 돕습니다.

열린 질문으로 시작하고 고객의 문제가 무엇이고 어떤 걸 원하는지 명확해질 때까지 후속질문을 합니다.

질문을 하면 침묵이 생길 수 있습니다. 침묵의 어색함을 견디지 못하고 곧장 또 다른 질문을 하면 열린 질문의 장점이 사라집니다. 질문을 한 다음에는 입을 다물어야 합니다. 간혹 상대방은 아무런 지식이 없고 정보를 얻으러 온 경우도 있습니다. 이런 경우로 판단되면 자세한 설명을 해야합니다.

3 요약과 피드백 얻기

질문을 한 다음에는 상대방의 말을 요약해서 다시 말해주고 피드백을 얻습니다. 요약은 상대방의 말을 경청하고 있다는 증거입니다. 요약하려면 상대방의 말을 주의 깊게 들어야 합니다. 처음 했던 열린 질문과 후속 질문들에 대한 대답을 모두 요약해야 합니다. 상대방의 대답을 요약한 다음 그들에게 피드백 기회를 제공하면 상대방은 존중받고 있다고 느낍니다. 또한 상담자가 잘못 이해한 것을 바로잡고, 놓친 정보를 다시 얻을 수 있습니다.

피드백은 제가 이해한 것이 맞나요? 라고 물어서는 안 됩니다. 상대방이 예/아니오의 대답으로 유도하기 때문입니다. 요약해서 말한 후에 <u>혹시 제가 놓친 것이</u>

있나요?와 같이 말하는 편이 낫습니다. 들은 것을 반복하고 피드백을 얻음으로써 상대의 기분을 좋게 만들고, 성공적인 거래를 하기 위해 도움이 되는 정보를 더 많이 얻을 수 있습니다.

4 부정적 태도를 보이는 고객 대처법

모든 고객이 협조적이지는 않습니다. 다음은 부정적인 태도의 예입니다.

· 빈정거리기:- 문제 해결에 상관없는 특정 문구나 단어를 물고 늘어지는 사람들
· 전문가는 나:- 상담 분야에 많은 공부를 하고 와서 당신 지식을 시험하며 저울질하는 사람들
· 속내 숨기기:- 자신의 걱정거리를 분명히 밝히지 않는 사람들
· 적대적 경쟁심:- 자신이 대화의 우위에 서야 한다고 생각하며 당신을 적으로 생각하는 사람들

열린 질문을 하여도 부정적 태도를 보이는 사람들은 우선 잠재고객인지 확인하여야 합니다. 잠재고객은 다음 세 가지 요건을 다 갖춰야 합니다.
· 제품이나 서비스가 필요하고,
· 구매할 수 있는 예산이 있고,
· 구매의사결정을 내릴 수 있다.
잠재고객을 판별하기 위한 질문 4 가지입니다.

- 얼마나 그 문제가 지속되었나요?
- 문제가 지속되면 어떤 영향이 있나요?
- 문제해결을 위한 예산은 얼마나 갖고 있으신가요?
- 최종적인 구매결정은 누가 내리나요?

이 질문은 상대방이 실제로 문제해결이 필요하고 능력이 있는지 알수 있게 합니다. 잠재고객이 아니라고 판별되면 물러날 수 있습니다.

상대방이 잠재고객이라면 협력적인 분위기로 만들어야 합니다.

과거에는 이런 문제를 어떻게 해결하셨죠? 라고 질문할 수 있습니다. 사람들은 모두 자신의 성공에 대해 이야기를 하는 것을 좋아합니다. 상대방에게 과거의 성공에 대해 질문을 하면 상대방의 시야가 확장됩니다. 상대방은 과거의 성공적인 경험을 떠올림으로써 긍정적인 사고와 태도의 변화를 갖게 됩니다.

경쟁심이 강한사람은 적대적인 대도를 보이는 경향이 있습니다. 이럴 때는 문제해결이 목표임을 상기 시키는 것이 좋습니다. 과거경험을 떠올리게 하여 문제해결이라는 공동의 목표로 나아갈 수 있습니다. 과거의 성공을 묻는 질문은 다양한 갈등상황에서 분위기를 반전시킬 수 있는 마법의 질문입니다.

때로는 상대방이 지나치게 사교적인 태도를 보일 때도 대처가 필요합니다. 이런 사람들은 문제에 대해 이야기하지 않고 잡담을 하며 친밀감만 쌓으려고 합니다. 대인관계 기술이 좋지만 자신을 인정해 주고 알아주길 바라는 욕구가 내재되어 있습니다. 상대방이 계속 맞장구 치고 호의적으로 나오지만 공정하지 못한 거래를 요구하기 쉽습니다. 상담 목표를 상기하고 시간분배를 할 필요가 있습니다.

5 우려 해소

상담의 마지막은 상대방이 우려하는 것에 대하여 질문하기입니다. 고객은 가격을 지불하더라도 원하는 결과물을 얻을지 알 수 없습니다. 모든 고객은 거래의 위험을 인식하고 있지만, 자신의 걱정을 다른 사람과 솔직하게 나누려 하지 않습니다. 고객이 걱정하는 것을 말하지 않는다면 구매결정을 미루게 됩니다. 좀 더 알아보겠다는 식으로 구매를 미루려고 한다면 다음과 같이 질문해야 합니다. <u>걱정되는 점은 무엇인가요?</u> 이 질문은 상대의 욕구를 알아내는 좋은 방법입니다. 상대가 걱정하는 것이 무엇인지를 질문해서 충족되지 않는 욕구를 찾고 그걸 충족할 방법을 찾을 수 있습니다. 상대방이 무엇을 걱정하는지 묻는 것은 솔직함을 유도합니다. 그리고 당신은 어떤 걱정도 불식시킬 수 있다는 자신감을 보여주게 됩니다.

걱정되는 점을 묻는 것은 감정을 직접 거론하지 않고 감정을 묻는 방법이기도 합니다. 때로는 감정이 모든 문제의 원인입니다. 사소한 갈등도 감정이 해소되지 않으면 해결하기 어렵습니다. 감정을 직접적으로 물어보면 상대방은 방어적인 태도를 취하기 때문에 직접 묻기 어렵습니다. 걱정 묻기로 감정을 파악할 수 있습니다. 또한 고객 마음속에 있는 곤란함을 해결하고자 하는 당신의 의지를 보일 수 있습니다.

모든 고객은 거래에 있을지 모르는 우려를 가지고 있습니다. 우려하는 점은 항상 물어보는 편이 낫습니다.

전문가로서 권위를 내세울 때

당신은 고객의 문제를 해결할 수 있는 충분한 지식과 경험이 있는 전문가로서의 권위가 필요합니다. 어떻게 권위를 만들 수 있을까요? 상담자는 자신이 전문가임을 알리기 위해 장황하게 지식을 늘어놓는 경우가 있습니다. 전문가로 보이기 싫기 때문입니다. 그러나 전문지식을 늘어놓으면 부작용이 생기기 쉽습니다. 듣는 상대방은 <그래서 뭐?>라는 생각을 합니다. 전문성을 내세우다 보면 고객과 경쟁하는 관계가 되기 쉽습니다. 고객과 협력하는 관계가 되어야 합니다. 고객이 당신의 콘텐츠를 보고 왔다면 당신은 이미 전문가라 권위가 어느정도 있습니다. 대면 상담에서는 좋은 질문과 경청을 우선순위에

두는 편이 낫습니다. 사무실에 자격증, 상장, 증명서를 전시하고, 온라인에서 미리 권위를 알리는 편이 낫습니다.

상담은 친밀감을 쌓고 신뢰를 형성하고 서로 만족할 수 있는 거래를 성립시키는 과정입니다. 열린질문을 하고, 경청하고, 요약하여 다시 말하고, 피드백을 얻습니다. 상대방이 당신에게 의심을 품거나 약점을 물어보는 것은 자연스러운 일입니다. 상대방이 물어보지 않으면 걱정거리가 있는지 먼저 물어보고 우려를 해소해야 합니다. 마지막은 과감하게 구매를 요청하기 입니다.

상담할 때 핵심 질문 정리

나의 욕구:- 나는 이 [사업 / 직업 / 일]으로 무엇을 얻으려는 것인가?
나의 가치파악(목표설정):- 나는 상대방에게 어떤 가치를 제공할 수 있는가?
상대방의 욕구:- 무엇을 원하는지 말해주세요
요약과 피드백:- (요약하기) 제가 놓친 것이 있나요?
상대방이 부정적인 태도를 보일 때:- 과거에는 이런 문제를 어떻게 해결하셨죠?
상대방 우려 해소:- 걱정되는 점은 무엇인가요?

10. 구매를 요청하라

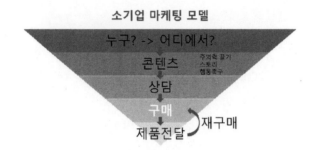

소기업 마케팅 모델

신뢰받는 조언자가 훌륭한 영업사원이다.

훌륭한 영업사원이라고 하면 무엇이 떠오르나요? <말재주가 좋다. 끈기 있다. 적극적이다. 강요한다. 교묘하게 조작한다.>등이 있을 것입니다. 조언자라고 하면 어떤 생각이 떠오르나요? <지식이 많다. 공감한다. 잘 경청한다. 헌신적이다.> 영업사원과는 다른 이미지가 떠오릅니다.

영업에 대한 편견은 널리 퍼져있습니다. 긍정적인 이미지보다는 대게 우리가 원하지 않는 것을 사게 만드는 교활한 이미지입니다. 영업사원들은 부정적인 인식을 피하기 위해 컨설턴트라는 직함을 쓰기도 합니다. 예컨대 보험 판매자는 보험 컨설턴트로, 부동산 중개자는 부동산 컨설턴트라고 말합니다. 사람들은 누구나 직간접적으로 영업을 합니다.

사업을 하면 제품이나 서비스를 팔아야 하고, 구직활동을 하면 '나'를 팔아야 합니다. 모든 직업에는 자신에 일을 올바르지 못한 방법으로 하는 사람들이 존재합니다.

올바른 영업 방식은 신뢰받는 조언자입니다. 고객이 무엇인가를 사는 것은 자신의 크고 작은 문제를 해결하려는 노력입니다. 구매한 무언가로 삶을 더 낫게 만들고 싶어 합니다. 판매자 측면에서 보면 무엇인가를 파는 것은 고객이 문제를 해결하도록 돕습니다. 사업주는 고객의 문제를 함께 푸는 관계가 되어야 합니다. 고객에게 도움이 되어야 합니다. 조언자는 상대방의 말을 경청하며 문제를 함께 풀어나갑니다. 신뢰받는 조언자가 훌륭한 영업 사원입니다.

과학적으로 표적 시장을 선정하고, 설득적인 콘텐츠를 만들고, 고객의 우려를 해소하는 상담을 거쳤다면 신뢰가 형성되었습니다. 가격을 말하고 돈을 지불 받으면 거래가 성사됩니다. 그러나 많은 사람들이 마지막 한마디를 두려워합니다. 고객이 구매를 거절하면 여지껏의 노력은 허사가 되어 버린다는 두려움이 앞서기 때문입니다. 잠재고객을 고객으로 전환하는 마지막 요청을 해야 합니다.

가격은 XXXXX 원입니다. 현금으로 하시겠어요? 카드로 하시겠어요?

자신의 가치를 주장하라

필자는 행정사들이 100 명 넘게 모여 정보를 교환하는 단톡방에서 활동하고 있습니다. 법과 제도에 대한 구체적인 질문들이 오고 갑니다. 그러나 가장 많은 질문은 고객 의뢰를 받은 업무에 얼마를 요구하면 좋을지 <적절한 가격 묻기>입니다. 행정업무 대행은 난이도가 다양하기 때문에 정해진 가격은 없습니다. 너무 높은 가격을 부르면 고객이 거절할 위험이 있고, 낮게 부르면 이익이 나지 않는 일을 붙들고 고생만 할 수 있습니다. 거래를 꼭 성사 시켜야겠다는 압박감을 갖고 있다 보면, 거절당하는 것이 두려워서 실제 가치보다 낮은 가격을 제안하기 쉽습니다.

낮은 가격을 지불 받고 계약을 맺은 행정사는 고객을 위해 최선을 다할 수 있을까요? 사람들은 거래할 때 가치교환이 공정했는지 늘 의식하고 있습니다. 불공정하다고 생각하는 거래를 하면 일에 의욕이 떨어집니다. 자신이 하는 일의 가치를 인정받았다는 생각이 들 때 고객을 위해 최선을 다해 일할 수 있습니다.

손해를 보며 거래를 한 사람들은 종종 <고객을 위해 비싸게 팔고 싶지 않았어.>라고 말합니다. 이런 사람들은 터무니없는 가격이 아니었음을 보여주는 증거가 있더라도 그 가격을 제시하지 못합니다. 자신이 생각하는 가치보다 비싼 가격으로 파는 나쁜 사람이 되는 것을 두려워하고 있는 것입니다. 정당한 가치를 요구할 용기가 없는 것입니다. 대신에 자신이 도덕적으로 우월한 사람이라는 프레이밍을 합니다. 일종의 착한 사람 증후군입니다. 상대를 기쁘게 하기 위해 손해를 보지만 내면에는 불만이 쌓입니다. 이런 거래는 자신은 물론 고객의 욕구도 충족시키지 못할 가능성이 높습니다. 무엇인가를 팔 때는 그것이 고객의 문제를 푸는데 도움이 되는 것임을 상기해야 합니다. 거절당하면 다시 제안을 해도 됩니다. 용기를 내야 합니다.

자신의 강점을 찾아라.

필자는 빅데이터 마케팅 실력을 키우기 위해 프로그래밍을 꾸준히 배우고 있습니다. 빅데이터는 인공지능에 기본이 되기 때문에 인공지능을 학습하는 사람들과도 자연스럽게 교류하고 있습니다. 학습자 들은 20 대 후반의 청년층이 다수입니다. 최근 챗 GPT 로 인공지능이 화두가 되며 직장을 그만두고 대학원을 진학하려는 학습자의 고민을 들었습니다. 이 청년은 대학원에 붙었는데 연봉협상을 하게 되었습니다. 대학원 등록과정에서 연봉협상은 드뭅니다. 이미 석박사 과정에 있는 사람 몇 명이 조언하였습니다. 모두 한결같이 교수님 불편하게 하지 말고 교수님이 주는 대로 받아야 한다고 말하였습니다. <교수님과 연봉협상 하지 말아라. 주는 대로 받아라.> 이게 좋은 조언일까요? 원하는 걸 요구할 수 있는 협상기회를 줬는데 왜 시도조차 해보지 말라고 할까요? 대학원생들은 자신의 가치에 대한 확신이 없었습니다. 필자는 세상에 100 대 0 거래는 없으니 자신의 가치를 주장하라고 말했습니다. 교수는 봉급을 받고 대학원생을 지도해야 할 의무가 있습니다. 교수는 연구로 실적을 내야 하고 우수한 대학원생의 도움이 필요합니다. 대학원생은 자신의 강점이 있다는 걸 인식하면 자신의 가치를 주장할 수 있습니다.

당신에게 있는 최고의 가치를 제안하라.

거래를 할 때는 당신에게 있는 최고의 가치를 제안해야 합니다. 가치의 타당성은 자료와 스토리텔링으로 상대방에게 전달할 수 있어야 합니다. 당당하게 요구할 때 소통이 더 잘됩니다. 대학원생의 예처럼 원하는 걸 말하지 못하고 교수님이 해주는 대로 다 하겠다는 태도를 취하면 장기적으로 불만이 생깁니다. 건강한 관계를 만들기 어렵습니다. 상대방을 기쁘게 하려고 노력할지라도 자신의 만족을 먼저 추구해야 합니다. 당신의 가치를 스스로 평가절하하지 말아야 합니다.

당당하게 구매하라고 말하지 못하면 상대방은 당신이 제공하는 제품이나 서비스에 대해 확신이 부족하다는 느낌을 받습니다. 제안하는 사람이 자신감이 없어 보이면 상대방은 그 가치를 더 낮게 여깁니다. 고객과 테이블에 마주 앉기 전에 먼저 당신이 거래로 얻으려는 게 무엇인지 충분히 고민해봐야 합니다. 당신의 욕구를 있는 그대로 인정해야 합니다. 모두의 욕구는 중요하기 때문에 원하는 것을 요구해도 됩니다.

당신이 정당한 가치를 요구하고, 당신과 고객 모두에게 이익이 되는 거래를 하면 더 큰 신뢰가 형성됩니다. 그러면 한 번의 거래를 넘어 더 큰 기회를 만들 수 있습니다.

11.구매 후
고객만족과 재구매

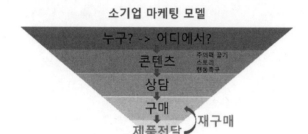

소기업 마케팅 모델

누구? -> 어디에서?
콘텐츠   주의력 끌기
        스토리
        행동촉구
상담
구매
제품전달)재구매

드디어 고객이 구매를 결정했습니다. 약속한 제품이나 서비스를 전달할 차례입니다. 마케팅은 고객이 구매를 결정하고 돈을 지불한 것으로 끝나지 않습니다. 마치 구직자가 면접을 보고 원하는 연봉을 받기로 했다면 기쁘겠지만, 이제부터는 입사하여 실력을 발휘해야 하는 것과 같습니다.

구매 후 커뮤니케이션은 재구매와 긍정적 구전에 영향을 미치기 때문에 매우 중요합니다. 만족스러웠던 고객은 그 제품을 계속 구매할 것이고, 자신의 경험을 다른 사람들에게 이야기할 가능성이 높습니다. 불만족스러우면 다음번에는 다른 브랜드를 선택합니다.

고객만족이 수익성을 결정한다.

제품전달은 커뮤니케이션의 마지막 단계이지만 마지막 거래가 되어서는 안 됩니다. 약속한 제품이나 서비스를 실제로 전달하여 고객의 기대에 부응해야 합니다. 고객은 기대했던 것만큼 혹은 그 이상을 얻었을 때 만족합니다. 만족은 재구매로 이어집니다.

사업 수익성을 높이려면 고객이 계속해서 당신에게 구매해야 합니다. 많은 사업가들은 신규 고객을 획득하기 위해 많은 시간과 예산을 쏟아붓습니다. 신규 고객을 얻기 위해서는 비용이 높은 커뮤니케이션 활동을 해야 합니다. 수익성 있는 사업 모델을 창조하려면 신규고객 유치보다 기존고객을 잃지 않는 것이 더 중요합니다.

고객만족과 재구매의 중요성

1. 재구매하는 고객에게 팔기가 더 쉽다.

당신의 시간과 자원은 한정돼 있습니다. 결국 아무것도 사지 않을 잠재고객을 대상으로 시간을 낭비하고 싶지 않을 것입니다. 100명을 대상으로 마케팅 노력을 기울였을 때 그중 20명만 고객으로 전환되어도 성공적 입니다. 그러나 고객이 재구매를 한다면 상황이 달라집니다. 이미 한번 구매한 고객은 20명 중 10~12명은 재구매를 할 것입니다. 당신이 새로운 고객을 찾고 구매하라고 설득하는데 노력이 들어가는 것처럼, 고객도 좋은 구매를 위해 시간과 노력을 들였습니다. 고객이 만족하면, 다음번에는 구매절차를 간소화하고 바로 당신으로부터 구매합니다.

2. 재구매 고객은 돈을 더 쓴다.

재구매하는 고객은 신규고객보다 더 많이 사는 경향이 있습니다. 당신의 제품이 비싸고 복잡하거나, 특화된 서비스라면 고객은 구매 전 결과를 알기 어렵기 때문에 위험을 높게 인식합니다. 고객은 위험을 줄이기 위해 처음에는 적은 양만 구매하여 시험 사용해 봅니다. 고객이 만족하면 처음보다 더 많이 구매하여 본격적으로 사용합니다.

3. 신규 고객 확보는 비용이 많이 든다.

소규모 사업일수록 가능한 모든 분야에서 비용을 절약해야 합니다. 연구결과에 따르면 새로운 고객을 얻는 것은 기존 고객을 유지하는 것보다 5배에서 25배 정도 비용이 더 들어갑니다. 베인 앤 컴퍼니의 연구는 고객유지 비율을 5% 올리면 이익은 25~95%까지 향상됨을 보여주었습니다.

고객 유지는 고객 획득보다 마케팅 비용이 덜 들어갑니다.

고객 불만족에 대응하라.

고객은 불만족의 정도에 따라 개인적인 행동 또는 공적인 행동을 합니다.

불만족의 강도가 약하면 1) 아무 일도 하지 않거나, 2) 아는 사람들에게 부정적인 구전활동을 하거나, 3) 판매자로부터 교환, 환불을 요구합니다.

불만족 강도가 강하면 4) 소비자단체에 불평하거나, 5) 배상을 받기 위해 법적조치를 취합니다. 비교적 저렴하거나 어디에서든 살 수 있는 제품이라면, 고객은 불만족했더라도 아무런 행동도 취하지 않습니다. 그러나 무행동을 선택한 고객은 재구매를 하지 않습니다.

고객이 만족했는지 질문을 해보고 불만족을 해소하려는 노력을 기울여야 합니다. 불만족 감정은 대부분 분노입니다. 제품 성능이 기대에 미치지 못하고 사업주의 대응이 적절하지 못할 때 분노를 일으킵니다. 분노한 고객은 보복하고 싶은 충동을 갖습니다. 개인적인 행동으로 악의적 구전을 퍼뜨리거나, 공적인 행동으로 불평을 합니다.

서비스 복구

제품이나 서비스의 전달에 실패했다면 복구해야 합니다. 복구 방법은 사과, 수리, 교환, 환불 제공입니다. 이런 대응은 실질적인 경제적 가치 제공을 제공합니다. 그러나 분노한 고객은 사업주의 자세에도 민감하게 반응합니다. 고객은 친절성, 정직성, 예의를 기대합니다. 사업주는 분노한 고객에 공감하여 분위기를 반전시킬 수 있습니다. FBI 협상 전문가인 크리스 보스에 따르면 공감하기는 상대방의 말에 다 동의하는 것이 아닙니다. 크리스 보스는 분노 또는 불안한 감정을 가진 사람들과 공감하는 방법으로 미러링(Mirroring)과 라벨링 (Labeling)을 하라고 제안합니다.

미러링은 상대의 말을 다른 말로 쉽게 풀어서 반복하기입니다. 미러링을 하기 위해 상대방이 하는 말을 더 주의 깊게 듣게 되고, 상대방은 자신이 하는 말을 되돌려 들음으로써 자기 생각과 말에 더 주의를 기울이게 됩니다.

라벨링은 상대방의 감정을 한마디로 표현하기입니다. 예컨대 화를 내는 고객에게 '화가 많이 난 것 같으시네요'라고 말하기입니다. 분노한 고객에게는 제품이나 서비스 그 자체의 사실에 기반한 문제보다, 감정이 문제가 됩니다. 라벨링은 부정적인 감정을 표시하여 드러냄으로써 감정을 누그러뜨리는 효과가 있습니다. 미러링과 라벨링은 단순하지만 갈등을 해결하는 공감대를 형성합니다.

일반적으로 불만족 고객은 공적인 행동보다 사적인 행동을 더 많은 것으로 알려져 있습니다. 아무런 행동도 취하지 않는 고객은 재구매를 하지 않는다는 점에 유념해야 합니다.

구매 후 제품전달을 어떻게 하느냐에 따라 고객은 만족/불만족을 합니다. 만족/불만족은 재구매와 구전에 영향을 미칩니다. 고객만족은 재구매와 긍정적 구전으로 사업의 존속과 성장의 토대가 됩니다. 인터넷 커뮤니티, 블로그, 채팅 앱을 통한 온라인 구전이 일상화되었습니다. 온라인 구전은 파급속도가 빠르고 더 넓게 퍼지기 때문에 초기에 적극적인 대응이 필요합니다. 고객의 기대에 부응하는 제품과 서비스를 전달하여 고객 만족을 실현할 수 있습니다.

마케팅 하려면 예산부터 결정하라.

사업주들은 마케팅을 시도합니다. 블로그를 개설해 글도 써보고, 광고도 해보고, 인스타그램 계정을 만들어 기업과 제품을 홍보하는 사진을 올려봅니다. 영업이 중요하다고 생각하는 사업주는 명함을 뿌리고 다녔을 것입니다. 그러나 무계획적으로 하는 마케팅 활동들은 계속되지 못하고 일회로 끝나버리기 일쑤입니다. 마케팅 노력은 분산되고 사기는 저하됩니다. 효과 있는 마케팅을 하려면 얼마만큼에 시간과 돈을 투자 할지부터 결정해야 합니다.

구매할 준비가 된 사람은 1%이다.

누군가 당신을 찾아왔다면 구매를 고려하고 있는 잠재고객임을 증명하는 셈입니다. 구매준비가 된 1%의 사람들입니다. 이 경우에는 당신이 별 노력을 기울이지 않아도 상대방은 구매할 것입니다. 그러나 당신의 제품이나 서비스를 구매할 확신이 없거나, 관심은 있으나 현재는 여건이 안 돼서 나중에 구매하겠다는 사람들이 훨씬 많습니다. 구매 준비가 안된 사람에게 사라고 말하는 것은 효과가 없고 상대방과 관계를 망칠 수 있습니다.

방문판매 영업사원처럼 즉각적인 판매에만 열성을 다하면 고객과 관계를 형성하기 어렵습니다. 마케팅부터 해야 합니다. 먼저 사람들에게 당신을 알리고 신뢰를 쌓습니다. 잠재고객이 지금 당장 사지 않더라도 꾸준히 관계를 발전시키면 며칠, 몇 주, 혹은 몇 년 후에 구매 합니다. 잠재고객의 신뢰를 얻는 대표적인 방법은 이익이 되는 것 알려주기 입니다. 예컨대 요가원을 운영한다면 잠재고객들에게 '거북목을 예방하는 목 스트레칭'과 같은 콘텐츠를 만들어서 전달할 수 있습니다. 잠재고객이 문제로 여기는 것에 해결책을 알려주면 당신은 경쟁자를 확실히 앞서 나가게 됩니다.

당신의 제품을 구매할 사람 분포

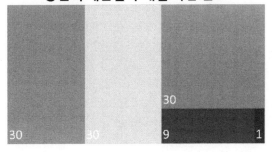

고객 분포 (요가원 예시)

요가원을 신규 개업하였다고 가정하겠습니다. 요가원 반경 1km 안에 1만 명이 거주하고 있습니다. 1만 명 중 많아야 1% 정도만 당장 요가원에 등록하려는 큰 열망이 있습니다. 그리고 9% 정도는 요가를 배우고 싶어 합니다. 30% 정도는 요가에 관심은 있지만 당장 등록할 생각은 없습니다. 그리고 나머지 30%는 요가에 아예 관심이 없습니다. 이 30%는 공짜로 요가 회원권을 제공해도 거절할 사람들입니다.

당장 구매하라고 설득하는 활동은 1%의 사람들한테만 효과가 있습니다. 구매 준비가 돼있는 1%의 사람들을 먼저 공략하고, 그다음은 구매가능성이 높은 9%의 사람들에게 집중해야 합니다. 관심만 있는 30% 사람들은 구매결정을 내릴 때까지 더 계획적인 노력을 기울여야 합니다.

공짜 마케팅은 없다.

당신 사업에서 어떤 활동보다 마케팅의 부가가치가 높습니다. 그러나 마케팅의 중요성을 아는 사업주도 정해진 예산이 없는 경우가 많습니다. 예산이 없는 미케팅은 산발적이고 일회성으로 끝나며 성과를 거두지 못합니다. 예컨대 소기업은 보통 인터넷과 디지털 매체를 통하여 입소문 마케팅을 시도합니다. 입소문 마케팅은 명목상 공짜 마케팅입니다. 입소문 마케팅은 깜짝 놀랄만한 성과를 일으킬 가능성이 있습니다. 그러나 성공적인 입소문 마케팅은 치밀한 계획과 돈을 투입하여 만들진 경우가 대부분입니다. 설령 돈을 직접 투입하지 않았더라도, 시간이라는 자원은 크게 투입됩니다. 소기업 사업주는 멀티 플레이어 역할을 하기 때문에 시간이 늘 부족합니다. 사업주의 시간 가치가 0 원이 아닌 이상 입소문 마케팅도 공짜가 아닙니다.

측정하며 투자하라.

영업을 할 때는 고객의 말에 귀 기울이여 욕구를 파악하고, 고객이 우려하는 점을 해소하는 과정을 거칩니다. 고객과 친밀한 관계를 만들고 신뢰를 쌓기 위한 노력을 투자합니다. 그러나 마케팅을 한다고 하면 영업과 다르게 바로 판매하려는 경향이 있습니다. 마케팅은 동시에 여러 사람을 대상으로 하기 때문에, 다수에게 구매하라고 메시지를 보내면 그중에 몇 명은 구매하기 때문입니다. 이런 접근 방식에 문제점은 낮은 투자수익률입니다. 마케팅 활동의 결과는 세 가지입니다.

· 성공:- 활동에 투입한 자원보다 그 활동에 따른 이익이 크다.

· 실패:- 활동에 투입한 자원보다 그 활동에 따른 이익이 적다.

· 모른다:- 활동에 얼마를 투입했는지, 그 결과로 이익이 발생했는지 모른다.

이 중에서 모른다가 가장 나쁩니다. 실패했다고 알면 행동을 개선하여 성공으로 갈 수 있지만 모르는 경우는 사업을 운에 맡기게 됩니다. 마케팅 투자수익률을 관리해야 합니다.

· 마케팅 투자수익률 = 순이익 /총 투자 * 100

마케팅은 당신의 시간, 돈, 노력을 투입해야 하는 활동입니다. 측정해야 관리할 수 있습니다. 당신이 투자한 것에 비해 이익을 많이 낼 수 있는 마케팅 활동을 선택하고 집중해야 합니다.

마케팅 예산부터 정하라.

소규모 사업주는 마케팅 예산부터 정해야 합니다. 사업 초기 예산이 빠듯한 사업주라면 돈을 직접 쓰지 않고 시간만 투입하겠다고 말할 수 있습니다. 당신의 시간 가치는 0원이 아니므로 시간 투자도 신중히 결정해야 합니다. 예컨대 '근무시간 중 최소 2시간은 잠재고객 발굴을 위한 블로그를 쓴다.', '한 달에 첫째 주, 셋째 주 월요일에는 반나절을 투자해서 고객에게 이메일을 보내겠다.'와 같은 시간 계획을 세워야 합니다. 만약 유료광고가 필요하다면 예산을 정하고 돈을 지출하면 됩니다. 마케팅 투자율을 측정하며 광고를 해보고 작동하지 않을 시 중단시키면 됩니다.

사업주는 비용을 절감하려고 애쓰는 것보다 과감히 투자하여 이익을 높이는 편이 낫습니다. 마케팅에 투자하면 당신의 사업은 더 신속하게 성장할 것입니다. 돈이 없어도 마케팅 예산을 결정하길 바랍니다.

마치며

사업이 성장하기 위해서는 고객을 이해하고, 고객을 얻고, 고객을 만족시키고, 고객을 유지하는 전략이 필요 합니다. 모든 사업의 목적은 고객 창출입니다. 고객이 없는 것은 모든 사업문제의 근본적인 원인입니다. 당신 사업의 이익을 극적으로 개선하는 방법은 마케팅 능력에 달려 있습니다.

이 책의 1 부에서는 소기업 사업주가 꼭 알아야 할 마케팅 전략을 2 부에서는 소기업이 따라할 수 있는 마케팅 모델을 담았습니다. 책에서 제시한 마케팅 모델은 전문 지식기술 서비스업에 가장 적합합니다. 당신 사업에 맞는 마케팅 모델을 만들고 시각화 하여, 헷갈리지 않고 실행하는 전략가가 되시길 응원합니다.

필자의 홈페이지에 방문하시면 마케팅 자료와 각종 프레임워크를 다운로드 하실 수 있습니다.

http://saetae.marketing